WeightWatchers®

LES BASIQUES

LES BASIQUES

PHOTOGRAPHIES DE VALÉRY GUEDES

✱ ✱ ✱

MARABOUT

AVANT-PROPOS

Si vous avez ce livre entre les mains, c'est que vous faites attention à votre poids, voire qu'il vous serait agréable d'en perdre un peu, mais en gardant le plaisir d'un bon repas.

Pour nous, chez **Weight Watchers**, la priorité est d'apprendre à manger de tout, dans les quantités qui conviennent à chacun, en fonction de ses dépenses énergétiques. Notre expérience nous a démontré que se priver ou encore manger juste une catégorie d'aliments ne sont pas gage d'un maintien du poids dans le temps, car même si la perte de poids semble facile, ce n'est pas une manière naturelle de s'alimenter donc, difficile à garder.

Gourmand, vous allez apprendre à devenir « gourmet », c'est-à-dire à apprécier le goût de chaque aliment, à redécouvrir les vrais saveurs, à apprendre les subtilités pour mettre moins de gras, de sucre, enfin, vous savez ces choses qui donnent du goût… mais se voient sur les hanches si on en abuse.

Fruits et légumes ne seront plus une corvée, mais au contraire le complément (naturel) que vous réclame votre corps. Bien sûr, pas question de ne les consommer que vapeur ou bouillis… Bien préparés, ils deviendront un élément indispensable de votre alimentation et de votre bien-être.

Ce pas à pas va vous montrer comme il est simple de faire bien et bon. Vous allez découvrir que **Weight Watchers** rime avec gourmandise !

Bon appétit !

❋ ❋ ❋

SOMMAIRE

LES PETITES ENTRÉES

1

LES SOUPES

LES SALADES

FINGER FOOD

01

GASPACHO CONCOMBRE-FETA

POUR 1 LITRE • PRÉPARATION : 20 MINUTES • REPOS : 1 HEURE

2 concombres
2 gousses d'ail
2 cuillères à soupe de menthe ciselée
4 cuillères à café de ciboulette ciselée

1 yaourt nature à 0 %
120 g de feta allégée
1 cuillère à café d'huile d'olive
1 cuillère à café de vinaigre de Xérès

3 gouttes de Tabasco
Sel, poivre du moulin

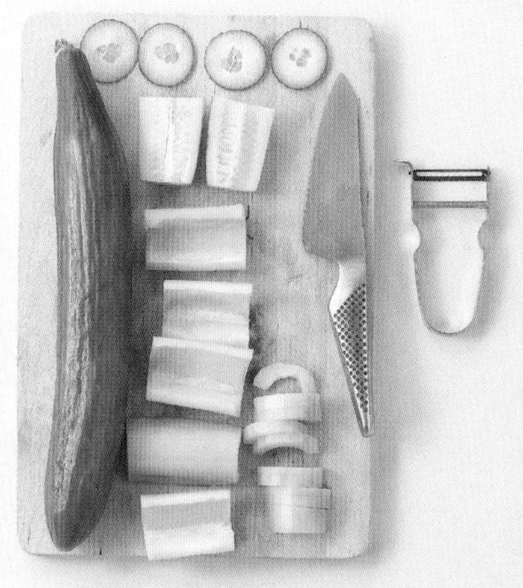

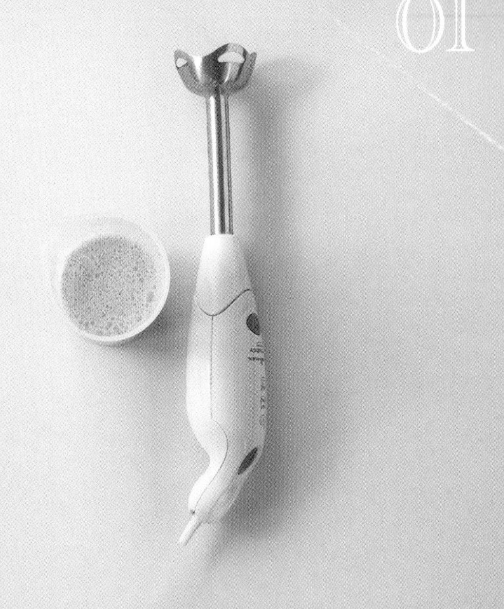

1 2
3 4

1	Prélever 4 rondelles dans un concombre et les réserver. Peler partiellement les 2 concombres, en laissant une bande sur deux, puis les épépiner. Les couper en morceaux.	2	Les mettre dans un blender avec le yaourt, l'huile, la menthe, le vinaigre, l'ail et le Tabasco. Mixer : la consistance doit être crémeuse. Saler et poivrer. Filmer et réserver 1 heure au frais.
3	Ciseler la ciboulette. Émietter finement la feta.	4	Verser le gaspacho dans 4 verres. Parsemer de ciboulette et de feta. Décorer avec une rondelle de concombre.

VELOUTÉ DE PETITS POIS

POUR 4 PERSONNES • PRÉPARATION : 20 MINUTES • CUISSON : 30 MINUTES

1 kg de petits pois surgelés
3 cuillères à soupe d'oignons surgelés
100 g de bacon
4 feuilles de basilic
1 cuillère à café de margarine allégée

2 cuillères à soupe de crème fraîche épaisse à 5 %
1 l de bouillon de volaille
Sel, poivre du moulin

AU PRÉALABLE :
Faire décongeler les petits pois.

*Feuille de Téflon alimentaire qui permet de cuisiner sans ajouter de matière grasse.

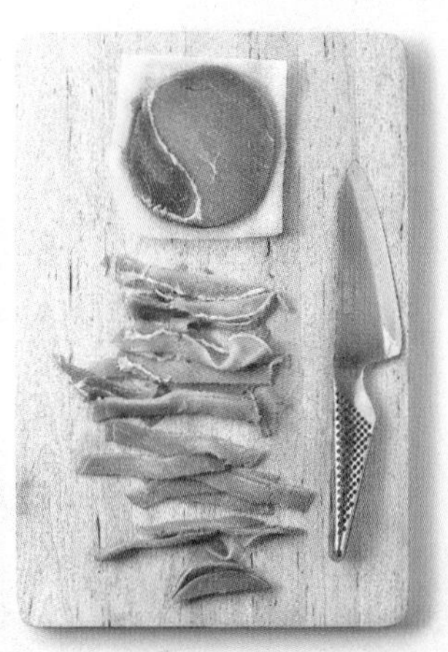

1	Faire revenir les oignons avec la margarine dans une casserole.	2	Lorsqu'ils sont blonds, verser le bouillon et porter à ébullition. Ajouter les petits pois et laisser cuire pendant 25 minutes.	
3	Pendant ce temps, couper le bacon en lanières.	4	Le faire revenir doucement sur une feuille de cuisson*.	➢

5	Lorsque les petits pois sont cuits, mixer le velouté.	6	Ajouter la crème fraîche en mélangeant bien.
7	Remettre sur le feu jusqu'aux premiers bouillons.	8	Verser le potage dans les bols.

9	Répartir le bacon et déposer une feuille de basilic sur le dessus. Déguster aussitôt.	**CONSEIL** Accompagner de croûtons de pain. **OPTION** On peut utiliser des petits pois frais. Dans ce cas, les faire cuire une dizaine de minutes supplémentaires.

03

VELOUTÉ FÈVES-COCO

POUR 4 PERSONNES • PRÉPARATION : 10 MINUTES • CUISSON : 30 MINUTES

600 g de fèves surgelées
1 oignon
20 cl de lait de soja et 50 ml de lait de coco
1 cuillère à café d'huile d'olive
Sel, poivre du moulin

AU PRÉALABLE :
Peler et émincer l'oignon finement.

IDÉE :
Remplacer les fèves par des petits pois.

03

1 2

3 4

1	Dans une casserole antiadhésive, mettre l'huile et faire dorer l'oignon. Ajouter les fèves et verser 50 cl d'eau froide. Couvrir et laisser cuire 25 minutes.	2	Mixer.
3	Dans une casserole, faire chauffer le lait de soja et le lait de coco.	4	Les incorporer au velouté. Verser dans 4 bols, saler et poivrer puis déguster bien chaud.

04

VELOUTÉ DE CAROTTES & CURRY

POUR 4 PERSONNES • PRÉPARATION : 15 MINUTES • CUISSON : 20 MINUTES

600 g de carottes
2 oignons
6 portions de fromage fondu allégé (de 17 g)
80 cl de bouillon de volaille dégraissé
2 cuillères à café de coriandre hachée
1 cuillère à café d'huile d'olive
¼ de cuillère à café de muscade
1 cuillère à café de curry en poudre
Sel, poivre du moulin

1	Peler et émincer les oignons. Peler puis rincer les carottes, les couper grossièrement en rondelles.	2	Dorer les oignons dans l'huile dans une cocotte. Ajouter les carottes. Ajouter du poivre, le curry, et la muscade. Recouvrir de bouillon. Fermer et cuire 12 minutes dès la rotation de la soupape.
3	Enlever le couvercle, ajouter le fromage fondu coupé en petits morceaux, mélanger et mixer avec un mixeur plongeant.	4	Rectifier l'assaisonnement en sel si besoin. Servir dans des bols et parsemer de coriandre. Accompagner de 2 gressins par personne.

05

SOUPE DE TOMATES & ESTRAGON

POUR 4 PERSONNES • PRÉPARATION : 15 MINUTES • CUISSON : 25 MINUTES

800 g de tomates bien mûres
1 oignon doux
2 gousses d'ail
1 cuillère à soupe d'estragon ciselé
½ orange non traitée
2 cuillères à café d'huile d'olive
1 cube de bouillon de volaille dégraissé
1 cuillère à soupe de concentré de tomates
Sel, poivre du moulin

05

1 2

3 4

1	Plonger les tomates dans une casserole d'eau bouillante pendant quelques secondes puis les peler, les épépiner et les couper en quartiers.	2	Peler et émincer finement l'oignon. Peler et hacher les gousses d'ail.	
3	Faire chauffer l'huile dans une cocotte, y faire revenir l'oignon à feu doux 3 minutes, sans le colorer.	4	Ajouter l'ail, remuer 1 minute de plus puis mettre les tomates et l'estragon. Poivrer.	➢

05

5 6
7 8

5	Verser 40 cl d'eau dans la cocotte, porter à frémissements.	6	Ajouter la tablette de bouillon de volaille, la diluer, et le concentré de tomates. Cuire 20 minutes à feu doux.
7	Râper le zeste de la demi-orange (1 cuillère à café) et presser le fruit pour en recueillir le jus.	8	Hors du feu, mixer la soupe et rectifier l'assaisonnement en sel.

9	Ajouter le zeste et le jus de l'orange. Servir chaud dans des bols ou des assiettes creuses.	**CUISSON EXPRESS** Faire cuire la soupe dans un autocuiseur. Compter alors 6 minutes de cuisson une fois le cube de bouillon et le concentré de tomates ajoutés.

06

SOUPE DE POTIRON AU TOFU

POUR 4 PERSONNES • PRÉPARATION : 10 MINUTES • CUISSON : 15 MINUTES

800 g de chair de potiron
1 branche de céleri
2 oignons
120 g de quinoa

320 g de tofu
Noix de muscade
Sel, poivre du moulin

1 2

3 4

1	Détailler le potiron et le céleri en petits cubes. Peler les oignons et les émincer. Détailler le tofu en petites tranches.	2	Dans une casserole, mettre les dés de légumes, les oignons émincés, recouvrir largement d'eau et ajouter le quinoa. Laisser cuire 15 minutes sur feu doux.
3	Mixer.	4	Verser la soupe dans des assiettes creuses, répartir le tofu puis saler et poivrer. Ajouter un peu de noix de muscade à la fin.

07

SALADE À LA MEXICAINE

POUR 2 PERSONNES • PRÉPARATION : 15 MINUTES • REPOS : 30 MINUTES

2 petits œufs durs et 1 tomate
180 g de haricots rouges, en conserve
6 à 8 feuilles de laitue
1 gousse d'ail, hachée
1 oignon rouge moyen, émincé
4 olives noires dénoyautées
1 cuillère à soupe de jus de citron
1 cuillère à soupe de persil, haché
4 ou 5 feuilles de menthe fraîche
¼ de c. à café de purée de piment rouge
3 cuillères à café d'huile d'olive
Sel, poivre du moulin

AU PRÉALABLE :
Émincer les olives en tranches.

1	Mettre dans un saladier : ail, sel, poivre, purée de piment, jus de citron, huile, haricots égouttés, oignon, persil haché et olives.	2	Mélanger le tout. Couvrir et réserver au réfrigérateur pendant 30 minutes.
3	Laver les feuilles de laitue. Bien les sécher. Couper la tomate en quartiers et les œufs en rondelles. Ciseler la menthe.	4	Tapisser 2 grands bols de feuilles de laitue. Ajouter la salade de haricots rouges puis décorer avec les rondelles d'œufs, les quartiers de tomate et les feuilles de menthe ciselées.

08

SALADE THAÏE AU TOFU

POUR 4 PERSONNES • PRÉPARATION : 10 MINUTES • CUISSON : 10 MINUTES

160 g de nouilles de riz épaisses (poids sec)
200 g de tofu coupé en cubes
125 g de mini maïs
2 cuillères à soupe de sauce soja
1 oignon rouge coupé en fines rondelles
2 gousses d'ail écrasées
60 ml de bouillon de volaille dégraissé ou de légumes (obtenu à partir d'un cube de bouillon)
3 cuillères à café de beurre de cacahuètes
2 à 3 cuillères à soupe de feuilles de coriandre ciselées
1 cuillère à café d'huile

1	Mettre les nouilles dans un grand saladier qui supporte la chaleur. Couvrir d'eau bouillante et mettre de côté pendant 5 minutes. Égoutter.	2	Faire chauffer un wok. Vaporiser d'huile. Ajouter la moitié du tofu. Mélanger jusqu'à ce que le tofu soit bien doré puis l'enlever.	
3	Procéder de même avec la seconde partie du tofu puis ajouter l'oignon et l'ail. Faire frire en remuant 1 minute. Ajouter le maïs et mélanger jusqu'à ce qu'il s'attendrisse.	4	Mélanger la sauce soja, le bouillon de volaille et le beurre de cacahuètes dans un petit saladier.	➢

5	Ajouter dans le wok les pâtes et le tofu puis la sauce.	**INFO PRODUIT** Le tofu ferme se trouve au rayon frais des supermarchés, des magasins bio et asiatiques. Une fois entamé, le tofu ferme se conserve quelques jours au réfrigérateur dans une boîte hermétique et recouvert d'eau.

6	Mélanger. Parsemer de coriandre puis servir	**VARIANTE** Remplacer l'oignon rouge par 2 ou 3 petits oignons de printemps frais, émincés finement. **LE PLUS** Parsemer le tout de jeunes pousses de salade (80 g) juste avant de servir.

09

PETITES POUSSES À L'ITALIENNE

POUR 4 PERSONNES • PRÉPARATION : 10 MINUTES

4 fines tranches de jambon cru, découenné et dégraissé (160 g)
1 carotte
1 orange

125 g de pousses d'épinards
2 cuillères à soupe d'huile de noix
1 cuillère à soupe de vinaigre de Xérès
Sel, poivre du moulin

VARIANTE :
Remplacer les pousses d'épinards par de la mâche ou de la roquette.

1 2

3 4

1	Peler l'orange à vif et prélever les quartiers.	2	Découper le jambon cru en fines lanières. Éplucher la carotte et tailler des tagliatelles avec un couteau économe.
3	Préparer la vinaigrette en mélangeant l'huile de noix, le vinaigre, du sel et du poivre.	4	Disposer les pousses d'épinards sur chaque assiette. Déposer dessus les différents ingrédients et napper de sauce vinaigrette. Servir frais.

10

FIGUES RÔTIES À L'ITALIENNE

POUR 4 PERSONNES • PRÉPARATION : 10 MINUTES • CUISSON : 1 MINUTE

4 tranches fines de jambon italien, dégraissé et découenné (60 g)
8 figues fraîches de 30 g chacune (240 g)
16 brins de romarin
50 g de roquette
1 cuillère à soupe de miel
4 cuillères à café de vinaigre balsamique
Poivre du moulin

1 2

3

1	Laver les figues et les couper en deux. Couper les tranches de jambon en 4 lanières.	2	Mélanger le miel avec le vinaigre et en enduire chaque figue à l'aide d'un pinceau. Donner un tour de moulin à poivre.
3	Envelopper les figues d'une lanière de jambon. Les disposer sur une feuille de papier absorbant dans un plat en verre culinaire et cuire 1 minute au four à micro-ondes à 350 W.	4	Piquer un brin de romarin dans chaque bouchée puis répartir les figues sur des assiettes tapissées de feuilles de roquette.

11

MOUSSE AUX DEUX SAUMONS

POUR 4 PERSONNES • PRÉPARATION : 10 MINUTES • CUISSON : 1 MINUTE

50 g de saumon cuit
25 g de saumon fumé
3 portions de fromage frais allégé (17 g chacune)

2 tranches de pain complet (100 g)
Quelques brins d'estragon

IDÉE :
Pour varier les saveurs, remplacer le fromage frais par de la ricotta allégée et l'estragon par de l'aneth.

1 2

3 4

1	Émietter le saumon cuit et couper le saumon fumé en dés. Ciseler l'estragon.	2	Regrouper les saumons dans une assiette. Ajouter le fromage frais et l'estragon ciselé.
3	À l'aide d'une fourchette, mêler les différents ingrédients.	4	Faire griller le pain puis tartiner généreusement chaque tranche et les couper en deux.

12

TARTELETTES CHAMPIGNONS

POUR 4 PERSONNES • PRÉPARATION : 15 MINUTES • CUISSON : 10 MINUTES

160 g de pâte à pizza
12 champignons de Paris
4 portions de crème de gruyère allégée
2 cuillères à café d'huile d'olive
2 cuillères à café de thym frais
Fleurs de thym
Sel, poivre du moulin

AU PRÉALABLE :
Préchauffer le four à 210 °C (th. 7).
Rincer, essuyer et trancher les têtes des champignons en fines lamelles.

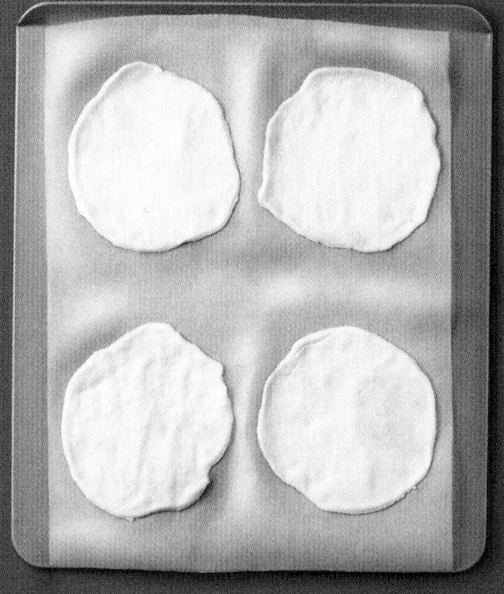

1 2
3 4

1	Étaler la pâte à pizza finement et découper 4 cercles de 14 cm. Les disposer sur une plaque recouverte d'une feuille de papier sulfurisé.	2	Étaler une demi-portion de crème de gruyère sur chaque fond de tarte.
3	Disposer les lamelles de champignons en rosace sur le dessus. Badigeonner d'huile, saler et poivrer. Parsemer de thym et ajouter le reste de crème de gruyère coupée en petits dés.	4	Enfourner à four bien chaud pour 10 minutes jusqu'à ce que les tartelettes se décollent du papier sulfurisé. Décorer chaque tartelette de fleurs de thym et servir.

13

DIPS DE POULET À L'INDIENNE

POUR 4 PERSONNES • PRÉPARATION : 20 MINUTES • CUISSON : 6 MINUTES • MARINADE : 4 HEURES

3 filets de poulet (200 g)
3 yaourts nature, type bulgare à 0 %
1 gousse d'ail
1 petit oignon blanc
Le jus de 1 citron vert
2 cuillères à café de jus de citron
4 cuillères à soupe de menthe fraîche ciselée + 4 branches
1 cuillère à café de coriandre en poudre
1 cuillère à café de curry
1 cuillère à café de gingembre en poudre
1 cuillère à café de curcuma
¼ de cuillère à café de piment de Cayenne
Sel, poivre du moulin

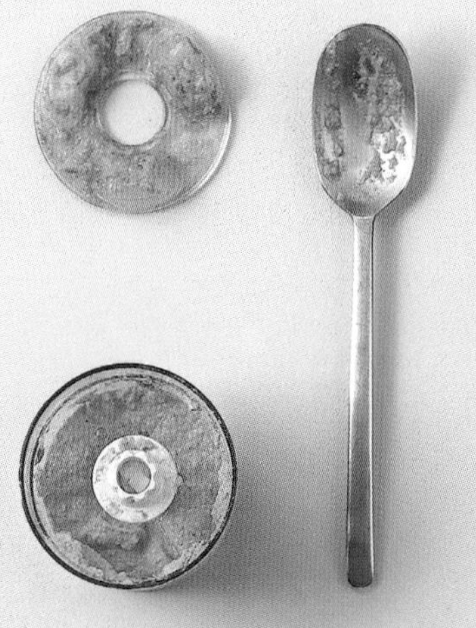

1 2
3 4

1	Peler l'ail et l'oignon, les mettre dans un blender et les mixer avec le jus de citron vert et les épices jusqu'à l'obtention d'une purée.	2	Ajouter 1 yaourt, saler et mixer de nouveau.	
3	Couper chaque filet de poulet en 8 lanières obliques de façon à en obtenir 24 en tout.	4	Les mettre dans un plat creux et les enduire de marinade au yaourt. Filmer et réserver 4 heures au frais.	➢

5 6

7

5	Préparer la sauce à dips : verser 2 yaourts dans un bol, ajouter 2 cuillerées à café de jus de citron et 4 cuillerées à soupe de menthe fraîche ciselée, saler et poivrer.	6	Mélanger bien puis filmer et réserver au frais.
7	Préchauffer le four en position gril. Étaler les lanières de poulet sur une grille au-dessus de la lèchefrite.	8	Enfourner pour 6 minutes en retournant à mi-cuisson.

9	Répartir la sauce à la menthe dans 4 petites coupelles. Les placer sur des assiettes de présentation. Ajouter 6 lanières de poulet sur un nid de feuilles de menthe. Planter un pic en bois sur un morceau de poulet. Déguster au moment de l'apéritif.	**OPTION** Compléter avec des crudités (carottes, concombre, champignons, etc.) coupées en bâtonnets ou en lamelles.

14

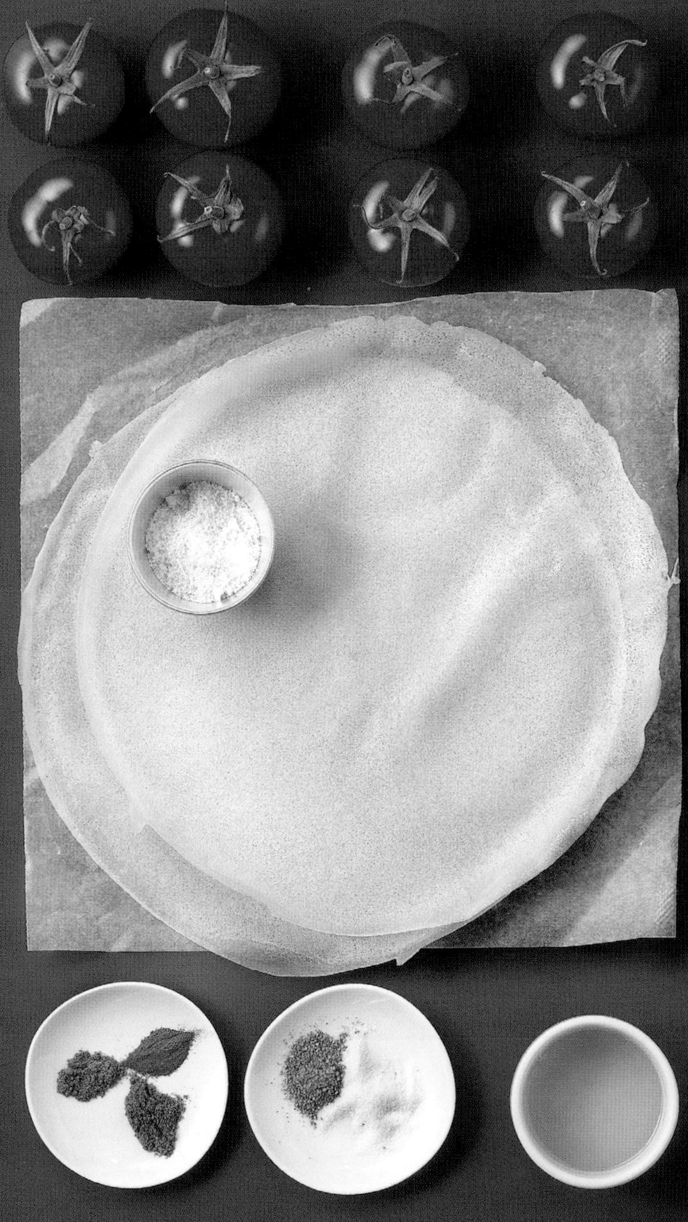

TOMATES EN FEUILLETÉ

POUR 4 PERSONNES • PRÉPARATION : 10 MINUTES • CUISSON : 15 MINUTES

8 tomates en grappe
2 feuilles de brick
4 cuillères à café de parmesan
2 cuillères à soupe d'huile d'olive

½ cuillère à café de cumin
½ cuillère à café de curry
½ cuillère à café de cannelle
Sel, poivre du moulin

AU PRÉALABLE :
Préchauffer le four à 240 °C (th. 8).

1 2

3 4

1	Ébouillanter les tomates quelques secondes puis les peler et les découper en dés.	2	Verser 1 cuillerée à soupe d'huile dans une casserole et faire revenir les tomates avec les épices pendant 8 minutes.
3	Découper des cercles dans les feuilles de brick et les déposer dans des ramequins. Badigeonner chacun avec un peu d'eau puis d'huile d'olive et les faire dorer au four pendant 4 minutes.	4	Remplir chaque fond avec la préparation aux tomates tiédie et saupoudrer de parmesan.

15

PETITS FLANS D'AUBERGINE

POUR 4 PERSONNES • PRÉPARATION : 10 MINUTES • CUISSON : 30 MINUTES

1 grosse aubergine
2 petits œufs
6 cuillères à soupe de coulis de tomates cuisiné (120 g)
2 cuillères à café de margarine à 60 %
80 g de lait concentré non sucré à 4 % (75 ml)
2 gouttes de Tabasco
1 cuillère à café d'huile d'olive
Sel, poivre du moulin

AU PRÉALABLE :
Préchauffer le four à 200 °C (th. 6-7).

15

1	Peler et couper l'aubergine en petits cubes. Les faire cuire à couvert avec 1 cuillère à café d'eau au four à micro-ondes (800 W) pendant 2 minutes.	2	Les égoutter puis les faire revenir dans une poêle antiadhésive avec l'huile d'olive pendant 5 minutes. Saler et poivrer puis laisser refroidir.
3	Battre les œufs avec le lait concentré et le coulis de tomates. Ajouter les cubes d'aubergine et le Tabasco. Bien mélanger.	4	Margariner 4 petits ramequins individuels et y répartir la préparation. Enfourner dans un bain-marie pour 25 minutes.

SOUFFLÉ AUX HERBES

POUR 6 PERSONNES • PRÉPARATION : 15 MINUTES • CUISSON : 20 MINUTES

3 petits œufs
6 petits-suisses à 0 % (360 g)
75 g de gruyère allégé, râpé
1 cuillère à café de margarine

2 cuillères à soupe de ciboulette, ciselée
1 cuillère à soupe de cerfeuil, ciselé
1 cuillère à soupe d'estragon, ciselé
Sel, poivre du moulin

AU PRÉALABLE :
Préchauffer le four à 180 °C (th. 6).
Séparer les blancs des jaunes d'œufs.

1	Mélanger les petits-suisses et les jaunes d'œufs. Saler, poivrer, incorporer les herbes puis le gruyère râpé.	2	Monter les blancs d'œufs en neige avec une pincée de sel.	3	Ajouter un tiers des blancs en neige à la préparation précédente en remuant.
4	Puis incorporer le reste.	5	Enduire 6 moules à soufflé de margarine. Y répartir la préparation aux trois quarts.	6	Faire cuire 20 minutes sans ouvrir la porte du four. Servir de suite.

17

BROCHETTES VÉGÉTARIENNES

POUR 4 PERSONNES • PRÉPARATION : 10 MINUTES • CUISSON : 10 MINUTES

4 steaks hachés de soja à la provençale
2 tomates
4 gros champignons
¼ de cube de bouillon de légumes méditerranéens

1 cuillère à café de Maïzena
10 cl de crème liquide allégée à 15 %
Herbes de Provence
Sel, poivre du moulin

AU PRÉALABLE :
Préchauffer le four en position gril à 300 °C (th. 10).
*Feuille de Téflon alimentaire qui permet de cuisiner sans ajouter de matière grasse.

1

2

3

4

5

6

1	Couper les steaks en quatre. Former des boulettes à la main.	2	Laver et couper en quatre les tomates et les champignons.	3	Sur des brochettes, alterner boulettes et légumes. Saler, poivrer. Parsemer d'herbes.
4	Placer sur une feuille de cuisson*, enfourner et cuire 5 minutes de chaque côté.	5	Mélanger la Maïzena, la crème et le cube de bouillon émietté. Porter à ébullition jusqu'à épaississement.	6	Servir la sauce en accompagnement des brochettes.

BROCHETTES POULET ROMARIN

✤ **POUR 4 PERSONNES** • PRÉPARATION : 10 MINUTES • CUISSON : 10 MINUTES • REPOS : 10 MINUTES ✤

4 blancs de poulet (100 g chacun)
2 cuillères à soupe de romarin, finement haché
2 gousses d'ail écrasées
2 cuillères à soupe de jus de citron
3 cuillères à café d'huile d'olive
2 cuillères à soupe de moutarde douce
2 cuillères à café de poivre noir
Sel

IDÉE :
On peut aussi cuire ces brochettes au barbecue, posées sur des braises chaudes.

1 2 3

4 5 6

1	Placer les blancs de poulet entre deux feuilles de film alimentaire et les aplatir avec un rouleau à pâtisserie.	2	Les détailler en fines lamelles.	3	Les mettre dans un plat creux. Ajouter le romarin, l'huile, l'ail, le jus de citron, la moutarde, sel et poivre.
4	Couvrir et laisser mariner 10 minutes.	5	Répartir les lamelles sur 8 brochettes.	6	Les faire cuire sur un gril électrique 5 minutes sur chaque face.

19

PAPILLOTES AUX CHAMPIGNONS

POUR 4 PERSONNES • PRÉPARATION : 10 MINUTES • CUISSON : 25 MINUTES

8 gros champignons de Paris
200 g de jambon dégraissé
50 g d'échalote
2 gousses d'ail
1 citron

1 cuillère à soupe de persil haché
1 cuillère à café d'huile d'olive
2 cuillères à soupe de chapelure
4 cuillères à café de beurre
Sel, poivre du moulin

AU PRÉALABLE :
Préchauffer le four à 210 °C (th. 7).

*Feuille de Téflon alimentaire qui permet de cuisiner sans ajouter de matière grasse.

1

3

1	Peler l'échalote et l'ail. Laver les champignons, puis séparer la tête des pieds. Les citronner légèrement. Hacher les pieds avec l'ail. Hacher l'échalote et le jambon.	2	Dans une poêle recouverte d'une feuille de cuisson*, faire revenir l'échalote avec l'huile.	
3	Ajouter ensuite le hachis de champignons et l'ail puis cuire jusqu'à évaporation complète de l'eau.	4	Hors du feu, ajouter le persil haché, le jambon haché et la chapelure.	➢

19

5	Saler et poivrer les têtes des champignons. Les farcir avec la préparation précédente. Découper 8 carrés de papier d'aluminium. Déposer une tête de champignon dans chaque carré puis ½ cuillère à café de beurre sur la farce. Replier pour former la papillote.	**ASTUCE** ☛ Ces champignons peuvent également se cuire directement sur la lèchefrite.

6	Enfourner pour 20 minutes.	**VARIANTE** Remplacer le jambon par du filet de bacon. **OPTION** Pour plus de saveurs, mélanger le persil avec deux autres herbes aromatiques (ciboulette, menthe, thym…).

TOUT EN UN

2

TARTES & CO

GRATINS

VÉGÉTARIENS

CAKE COURGETTES-PIGNONS

POUR 6 PERSONNES • PRÉPARATION : 15 MINUTES • CUISSON : 50 MINUTES

300 g de courgettes et 3 petits œufs
3 cuillères à soupe de persil
2 cuillères à soupe de ciboulette
2 cuillères à soupe de menthe
3 cuillères à soupe de yaourt nature brassé

20 g de pignons
2 cuillères à soupe de Maïzena
1 sachet de levure chimique
3 cuillères à café d'huile d'olive
1 cuillère à café de curry, sel et poivre

AU PRÉALABLE :
Préchauffer le four à 210 °C (th. 7).
Faire griller les pignons de pin dans une poêle à sec.

1	Râper grossièrement les courgettes lavées et séchées.	2	Mélanger la Maïzena, la levure, les œufs et le yaourt. Ajouter l'huile d'olive et le curry. Saler et poivrer. Incorporer ensuite les courgettes, les herbes et les pignons de pin grillés.
3	Verser la pâte dans un moule tapissé de papier sulfurisé. Enfourner 10 minutes puis baisser le four à 180 °C (th. 6) et laisser cuire 40 minutes.	4	Démouler, laisser refroidir. Couper en 6 tranches épaisses ou 12 fines. Déguster froid ou tiède, accompagné d'un coulis de tomates.

TARTE AUX POUSSES D'ÉPINARD

POUR 6 PERSONNES • PRÉPARATION : 15 MINUTES • CUISSON : 30 MINUTES

180 g de pâte à tarte brisée, allégée
150 g de jeunes pousses d'épinard
2 œufs
200 g de parmesan râpé
150 g de cottage cheese à 20 %
¼ de cuillère à café de muscade
Sel, poivre du moulin

AU PRÉALABLE :
Préchauffer le four à 210 °C (th. 7).

1 2

3 4

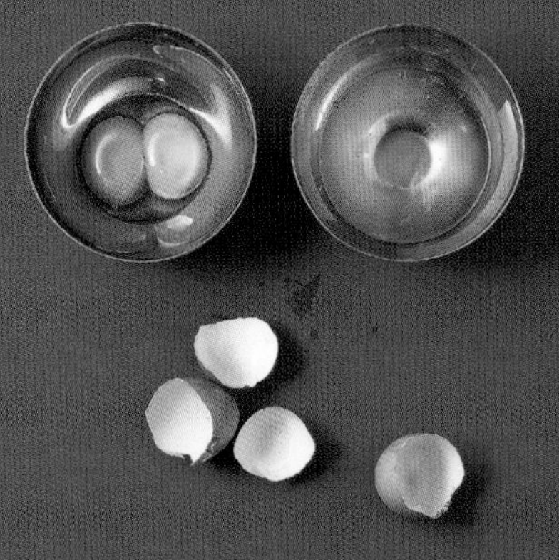

1	Dérouler la pâte, la disposer dans un moule à tarte de 24 cm de diamètre avec son papier sulfurisé. Égaliser les bords et les pincer légèrement.	2	Rincer les pousses d'épinard, les couper en morceaux avec des ciseaux.	
3	Les faire suer dans une poêle antiadhésive avec 1 cuillère à soupe d'eau pendant 2 minutes. Égoutter.	4	Séparer les jaunes des blancs d'œufs.	➢

21

5 6

7 8

5	Fouetter les jaunes d'œufs avec le parmesan, le cottage cheese et la muscade.	6	Ajouter les pousses d'épinard, saler, poivrer et bien mélanger.
7	Battre les blancs d'œufs en neige avec une pincée de sel, les incorporer au mélange au cottage cheese.	8	Verser la préparation dans le moule et enfourner pour 30 minutes.

9 Servir de suite pendant que la tarte est bien gonflée.

OPTION

Remplacer éventuellement les pousses d'épinard par des feuilles de blette.

INFO PRODUIT

Le cottage cheese est un fromage frais anglais, préparé à base de lait entier caillé, non cuit. On le trouve au rayon frais des supermarchés.

QUICHE POULET-ESTRAGON

POUR 4 PERSONNES • PRÉPARATION : 15 MINUTES • CUISSON : 30 MINUTES

300 g d'escalopes de poulet
100 g de petits oignons blancs
1 bouquet d'estragon
2 œufs
2 cuillères à soupe de crème fraîche à 8 %
½ cube de bouillon de volaille dégraissé
80 g de lait concentré non sucré à 4 %
Sel, poivre

AU PRÉALABLE :
Préchauffer le four à 200 °C (th. 6-7).

1	Dans une casserole, faire fondre le cube de bouillon de volaille dans ½ litre d'eau. Y jeter les blancs de poulet, les oignons pelés et l'estragon. Cuire environ 15 minutes.	2	Égoutter puis effilocher le poulet. Le disposer dans un plat à four avec les oignons et l'estragon.
3	Dans une terrine, battre les œufs avec le lait et la crème fraîche. Saler et poivrer.	4	Verser la préparation dans le plat. Passer au four 15 minutes.

PAIN DE VIANDE

POUR 6 PERSONNES • PRÉPARATION : 15 MINUTES • CUISSON : 40 MINUTES

600 g de steak haché de bœuf à 5 %
1 gros oignon
3 gousses d'ail
200 g de champignons de Paris
1 cuillère à café de basilic
1 blanc d'œuf
1 cuillère à café d'huile d'olive
1 cuillère à café de sucre
10 cl de coulis de tomates nature
6 cuillères à soupe de chapelure (90 g)
½ cuillère à café de sel
Poivre du moulin

AU PRÉALABLE :
Préchauffer le four à 180 °C (th. 6).

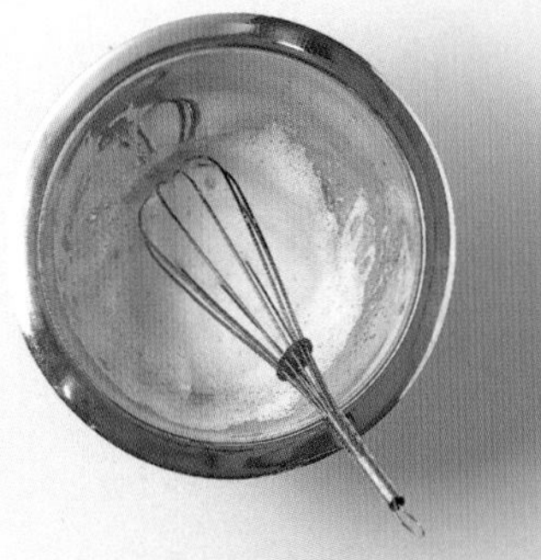

1	Battre légèrement le blanc d'œuf en neige.	2	Émincer l'oignon, l'ail puis les champignons.	
3	Faire chauffer l'huile dans une poêle antiadhésive. Ajouter l'oignon et le sucre. Faire dorer 2 minutes à feu doux tout en remuant.	4	Ajouter les champignons et l'ail et poursuivre la cuisson 2 minutes en continuant de mélanger.	➤

5	Mettre la viande dans un récipient, ajouter le coulis de tomates, la chapelure, le blanc d'œuf, le basilic, le sel, du poivre et le mélange poêlé. Malaxer jusqu'à obtenir un mélange bien homogène.	**CONSEIL** Vérifier si le pain de viande est cuit en y plantant la pointe d'un couteau : celle-ci doit ressortir sèche. Poursuivre si besoin la cuisson quelques minutes.

6	Verser la préparation dans un moule à cake antiadhésif. Couvrir d'une feuille de papier sulfurisé et enfourner pour 35 minutes. Enlever la feuille de papier sulfurisé 10 minutes avant la fin de la cuisson. Laisser tiédir, démouler et couper en parts.	**CONSEIL** ☛ Accompagner de coulis de tomates.

GRATIN AUBERGINES-MOZZA

POUR 4 PERSONNES • PRÉPARATION : 40 MINUTES • REPOS : 1 HEURE • CUISSON : 1 HEURE

450 g de blancs de dinde hachés
650 g d'aubergines
140 g de macaronis
125 g de mozzarella allégée
400 g de tomates pelées en boîte

1 oignon
2 gousses d'ail
1 cuillère à soupe de persil
5 cuillères à soupe de basilic haché
200 ml de vin rouge

2 cuillères à soupe d'huile d'olive
Cerfeuil
Sel, poivre du moulin

1 2
3 4

1	Peler les aubergines, les couper en deux dans le sens de la longueur puis en fines rondelles.	2	Les saupoudrer de sel et les laisser dégorger dans une passoire pendant 1 heure puis les rincer et les sécher avec du papier absorbant.	
3	Préchauffer le four à 200 °C (th. 6-7). Faire chauffer la moitié de l'huile d'olive dans une sauteuse puis y faire revenir les aubergines pendant 10 minutes environ.	4	Les déposer sur du papier absorbant pour qu'elles s'égouttent.	➢

24

5 6
7 8

5	Ajouter le reste d'huile dans la poêle et faire revenir la dinde hachée jusqu'à ce qu'elle soit cuite. Assaisonner avec du sel et du poivre.	6	Ajouter l'oignon et l'ail hachés, les tomates et les herbes. Verser le vin, porter à ébullition. Baisser le feu et laisser réduire 15 minutes.
7	Pendant ce temps, faire cuire les macaronis puis les égoutter.	8	Garnir le fond d'un plat d'une couche de tomates. Recouvrir des aubergines, des pâtes et du basilic. Ajouter la mozzarella en tranches.

9 Renouveler l'opération en terminant par les aubergines. Faire cuire 30 minutes à four chaud. Servir dans le plat de cuisson.

CONSEIL

Accompagner d'une salade de mesclun.

TIAN AU CHÈVRE

POUR 4 PERSONNES • PRÉPARATION : 20 MINUTES • CUISSON : 40 MINUTES

2 courgettes
1 aubergine
2 tomates
120 g de chèvre frais allégé
1 oignon

2 brins de basilic
2 cuillères à soupe de parmesan râpé
4 cuillères à café d'huile d'olive
5 brins de thym
Sel, poivre du moulin

AU PRÉALABLE :
Préchauffer le four à 200 °C (th. 6-7).

*Feuille de Téflon alimentaire qui permet de cuisiner sans ajouter de matière grasse.

1 2

3 4

1	Laver les légumes, les couper en fines rondelles. Peler l'oignon, l'émincer.	2	Faire dorer l'oignon avec 2 cuillères à café d'huile d'olive sur une feuille de cuisson* à feu vif.	
3	Ensuite, dans la même poêle, poêler les rondelles de courgettes et d'aubergine avec la moitié du thym effeuillé sur feu moyen et en remuant régulièrement.	4	Écraser le chèvre à l'aide d'une fourchette.	➢

5	Dans un plat à gratin, mettre les rondelles de légumes en les intercalant. Saler, poivrer, déposer le fromage de chèvre écrasé, saupoudrer de parmesan et de thym effeuillé.	**VARIANTE** Ce tian est aussi très bon avec seulement deux types de légumes : tomates-courgettes ou tomates-aubergines. Augmenter alors le nombre de courgettes ou d'aubergines.

6	Cuire 20 à 25 minutes au four. Saupoudrer de basilic juste avant de servir.	**CONSEIL** La peau de l'aubergine étant assez épaisse, il est parfois préférable de l'éplucher.

FLAN DE LÉGUMES AU BACON

POUR 4 PERSONNES • PRÉPARATION : 15 MINUTES • CUISSON : 25 MINUTES

400 g de haricots verts
6 pommes de terre
4 carottes
4 courgettes

8 tranches de bacon (100 g)
4 petits œufs
2 verres de lait écrémé
Sel, poivre, muscade

AU PRÉALABLE :
Préchauffer le four à 210 °C (th. 7).

1 2

3 4

1	Peler puis couper les pommes de terre en dés.	2	Ébouillanter les haricots verts.	
3	Dans un plat à four légèrement beurré, disposer les haricots verts et les dés de pommes de terre sur une hauteur d'environ 2 cm.	4	Couper les courgettes en fins bâtonnets et les carottes en rubans.	➢

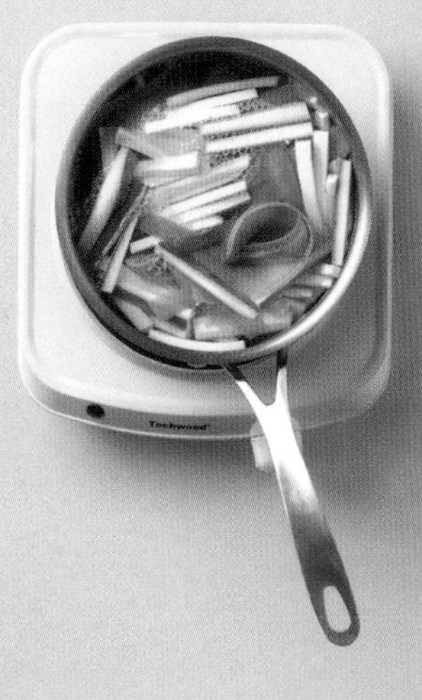

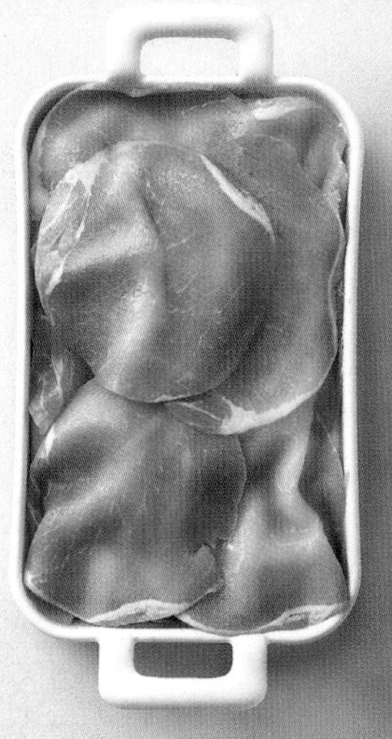

5	Plonger les courgettes et les carottes dans une casserole d'eau bouillante salée. Après 2 minutes de cuisson, les égoutter.	6	Les répartir sur la couche de haricots-pommes de terre.
7	Recouvrir avec les tranches de bacon.	8	Battre les œufs dans 2 verres de lait écrémé, du sel, du poivre et une pincée de muscade.

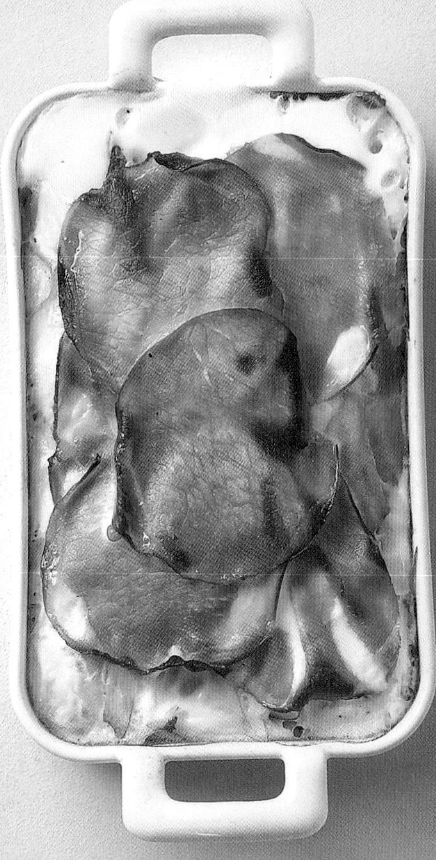

9	Verser la préparation sur les légumes. Faire cuire à four chaud pendant 20 minutes. Déguster chaud, tiède ou froid.	**ASTUCE** ☛ Pour faire de jolis rubans de légumes, utiliser un couteau économe.

27

LASAGNE POULET-BROCOLIS

POUR 4 PERSONNES • PRÉPARATION : 10 MINUTES • CUISSON : 45 MINUTES

850 g d'escalopes de poulet
800 g de brocolis
8 plaques de lasagne
1 oignon
120 g de gruyère râpé allégé

200 ml de lait écrémé
4 cuillères à café de Maïzena
Muscade
Sel, poivre du moulin

AU PRÉALABLE :
Préchauffer le four à 180 °C (th. 6).

* Feuille de Téflon alimentaire qui permet de cuisiner sans ajouter de matière grasse.

1	Peler puis émincer l'oignon. Détailler les escalopes de poulet en fines lamelles.	2	Faire cuire les brocolis à la vapeur, 5 minutes.
3	Faire revenir l'oignon et le poulet sur une feuille de cuisson*.	4	Bien laisser dorer puis ajouter les brocolis, saler, poivrer et saupoudrer de muscade. ➢

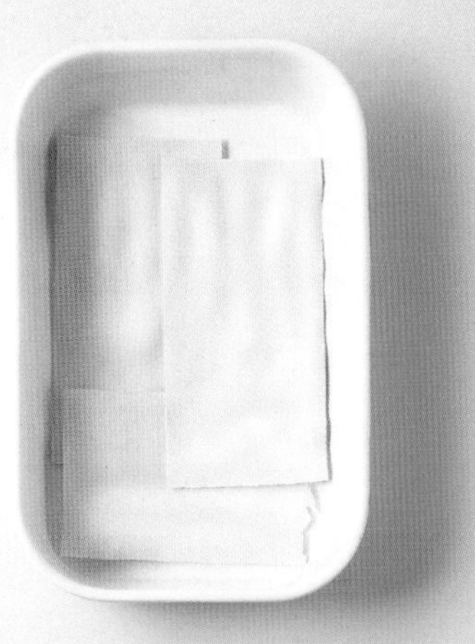

5	Préparer la béchamel. Pour cela, faire chauffer le lait dans une casserole. Prélever une tasse de lait tiédi pour y délayer la Maïzena.	6	Reverser le mélange lait-Maïzena dans la casserole. Laisser chauffer en remuant jusqu'à ce que la sauce épaississe puis réserver.
7	Dans un plat rectangulaire, déposer une couche de plaque de lasagne dans le fond du plat.	8	Verser la moitié de la préparation au poulet, un peu de gruyère puis recommencer l'opération. Terminer par le gruyère.

9 Enfourner 45 minutes. Laisser reposer 5 minutes à la sortie du four puis servir.

VARIANTE

Remplacer les escalopes de poulet par des escalopes de dinde.

ASTUCE

À la fin de la cuisson, si le gruyère n'est pas assez doré, passer la lasagne quelques minutes sous le gril du four.

MINESTRONE AUX POIS CHICHES

POUR 4 PERSONNES • PRÉPARATION : 15 MINUTES • CUISSON : 45 MINUTES

2 carottes
100 g de pomme de terre
4 courgettes
2 poireaux
1 oignon

1 tomate
100 g de pois chiches en conserve
Basilic
1 cube de bouillon de volaille, dégraissé
1 cuillère à café de beurre

1 2 3

4 5 6

1	Tailler les légumes et la pomme de terre en petits cubes, sauf la tomate.	2	Faire revenir les autres légumes dans le beurre pendant 15 minutes.	3	Ajouter de l'eau à hauteur des légumes plus 1 cm, et le cube de bouillon. Faire cuire 20 minutes.
4	Éplucher la tomate et la mixer avec du basilic.	5	L'ajouter avec les pois chiches au minestrone. Laisser chauffer 10 minutes.	6	Servir aussitôt.

29

PAELLA DE LÉGUMES

POUR 4 PERSONNES • PRÉPARATION : 30 MINUTES • CUISSON : 25 MINUTES

210 g de riz rond
50 g de champignons de Paris
100 g de poivron rouge
150 g de brocoli
100 g de dés de tomate

4 fonds d'artichaut
100 g de petits pois surgelés
1 litre de bouillon de volaille
2 cuillères à café d'huile d'olive
Sel, poivre du moulin

AU PRÉALABLE :
Porter le bouillon de volaille à ébullition.

1	Couper les fonds d'artichaut en quatre, détailler les champignons en lamelles, le poivron en lanières et le brocoli en petites fleurettes.	2	Faire chauffer 1 cuillère à café d'huile dans une sauteuse antiadhésive, y faire revenir les légumes coupés 5 minutes, sans cesser de mélanger. Réserver.	
3	Faire chauffer de nouveau 1 cuillère à café d'huile dans la sauteuse, ajouter le riz.	4	Verser un peu de bouillon chaud, faire cuire à feu moyen en mélangeant jusqu'à ce que le riz devienne translucide.	➢

5	Ajouter les dés de tomate, les légumes réservés, les petits pois surgelés et mouiller avec le reste de bouillon. Poursuivre la cuisson à feu doux jusqu'à ce que le riz ait absorbé le liquide.	**ASTUCE** La paella se conserve très bien. Ne pas hésiter à la préparer la veille pour le lendemain.

6 Poivrer et rectifier l'assaisonnement en sel.

VARIANTE

Ajouter des morceaux de poulet (pilons) en même temps que les légumes.

CONSEIL

Ne pas hésiter à rajouter du bouillon au cours de la cuisson du riz si nécessaire.

PÂTES ÉPICÉES AUX POIVRONS

POUR 4 PERSONNES • PRÉPARATION : 10 MINUTES • CUISSON : 20 MINUTES

250 g de pâtes aux 3 couleurs
(fusilli par exemple)
200 g de cresson coupé grossièrement
4 poivrons rouges
100 g de feta allégée, émiettée

2 gousses d'ail écrasées
1 ou 2 piments rouges
1 cuillère à soupe de pignons grillés
2 cuillères à soupe de vinaigre balsamique

AU PRÉALABLE :
Préchauffer le gril du four.

1	Faire cuire les pâtes al dente, selon les indications données par le fabricant.	2	Couper les poivrons en deux, ôter les pédoncules et les graines.	3	Faire griller les poivrons, peau face au gril, jusqu'à ce qu'ils noircissent. Les peler.
4	Mixer les poivrons, l'ail, le vinaigre, le piment et quelques cuillerées d'eau jusqu'à obtenir une purée.	5	Égoutter les pâtes, les passer à la poêle avec le cresson, la feta et les pignons. Mélanger.	6	Servir aussitôt avec la purée de poivrons.

TAGLIATELLE AUX COURGETTES

POUR 1 PERSONNE • PRÉPARATION : 5 MINUTES • CUISSON : 4 MINUTES

120 g de tagliatelles fraîches
1 petite courgette
2 cuillères à soupe de crème fraîche à 4 %

1 cuillère à soupe de parmesan râpé (10 g)
½ cube de bouillon de volaille
Sel, poivre du moulin

AU PRÉALABLE :
Diluer le ½ cube de bouillon de volaille dans 75 cl d'eau bouillante.

1 2

3 4

1	Peler la courgette. À l'aide d'un couteau économe, prélever une douzaine de rubans dans la longueur (garder le reste de courgette pour un autre usage).	2	Verser le bouillon dans un plat en verre culinaire, ajouter les courgettes, couvrir et faire cuire 2 minutes au micro-ondes (800 W). Ôter les rubans avec une écumoire.
3	Verser les tagliatelles dans l'eau de cuisson, couvrir et faire cuire 2 minutes, à 800 W. Laisser reposer 2 minutes à couvert.	4	Égoutter les pâtes, les mélanger avec les courgettes et la crème fraîche. Saler si besoin et poivrer. Saupoudrer de parmesan.

GALETTES DE TOFU AUX HERBES

POUR 4 PERSONNES • PRÉPARATION : 10 MINUTES • CUISSON : 6 MINUTES

360 g de tofu
1 petit œuf
30 g de gruyère allégé, râpé
2 cuillères à café de margarine
30 g de pain de mie

5 brins de persil
2 brins de basilic
5 brins de ciboulette
Sel, poivre du moulin

AU PRÉALABLE :
Hacher le tofu. Laver les herbes, les sécher dans du papier absorbant. Les hacher finement.

1 2
3

1	Verser le tofu haché dans un récipient. Ajouter l'œuf et le gruyère râpé. Émietter le pain au-dessus. Mélanger. Incorporer les herbes hachées. Saler et poivrer.	2	Diviser le mélange en 8 parts égales. Former des boulettes de la taille d'une clémentine, puis les aplatir avec le plat de la main.
3	Faire chauffer la margarine dans une poêle antiadhésive. Déposer les galettes et les faire dorer 3 minutes sur chaque face.	4	Servir bien chaud, accompagné de tomates à la provençale ou de ratatouille si l'on aime.

33

OMELETTE CHÈVRE & MENTHE

POUR 4 PERSONNES • PRÉPARATION : 5 MINUTES • CUISSON : 4 MINUTES

4 œufs
90 g de fromage de chèvre frais
2 cuillères à soupe de menthe, hachée

4 cuillères à soupe de crème fraîche à 5 %
100 ml de lait écrémé
Sel, poivre du moulin

* Feuille de Téflon alimentaire qui permet de cuisiner sans ajouter de matière grasse.

1	Casser les œufs dans un récipient et les battre en omelette.	2	Ajouter la crème fraîche et le lait. Saler et poivrer puis battre de nouveau. Ajouter le fromage de chèvre détaillé en gros cubes puis la menthe.
3	Verser la préparation dans une poêle recouverte d'une feuille de cuisson.	4	Faire cuire pendant 4 minutes. Servir chaud, accompagné d'une salade de mâche.

GALETTE CROUSTILLANTE

POUR 4 PERSONNES • PRÉPARATION : 15 MINUTES • CUISSON : 9 MINUTES

400 g de pommes de terre
150 g de céleri-rave
1 cuillère à soupe de persil ciselé
4 feuilles de laitue
60 g de tomme de montagne maigre
1 œuf
1 cuillère à café de farine
¼ de cuillère à café de muscade en poudre
3 cuillères à café d'huile d'olive
Sel, poivre du moulin

1	Peler le céleri-rave. Éplucher et rincer les pommes de terre. Les râper avec une grille à gros trous. Ôter la croûte de la tomme, la râper.	2	Battre l'œuf, ajouter les râpés de pomme, de terre et de céleri-rave puis le persil. Saler, poivrer, saupoudrer de farine et de muscade.	
3	Faire chauffer 2 cuillerées à café d'huile dans une poêle antiadhésive de 24 cm de diamètre, y étaler le mélange pomme de terre/céleri-rave. Bien tasser. Cuire 5 minutes à feu moyen.	4	Retourner sur une assiette.	➢

		ASTUCE
5	Ajouter la cuillerée à café d'huile restante dans la poêle et faire glisser la galette, face non cuite sur le fond de la poêle. Parsemer de fromage. Poursuivre la cuisson 4 minutes.	☛ Mettre un couvercle en fin de cuisson pour faire fondre le fromage.

6	Servir la galette bien chaude coupée en 4 parts sur des feuilles de laitue.	**CONSEIL** ❋ Cette galette est aussi excellente en version pomme de terre uniquement. Remplacer alors le céleri par 1 ou 2 pommes de terre supplémentaires.

FRICASSÉE DE PÉTONCLES

POUR 4 PERSONNES • PRÉPARATION : 5 MINUTES • CUISSON : 15 MINUTES

450 g de noix de pétoncles crues, surgelées
600 g de petits pois surgelés
1 oignon rouge émincé
2 tomates émondées

1 cuillère à café de sauge ciselée +
quelques feuilles de sauge fraîche entières
2 cuillères à café d'huile d'olive
Sel, poivre gris

1	Dans un wok préalablement chauffé (ou une sauteuse), verser l'huile d'olive puis y faire revenir l'oignon.	2	Ajouter les petits pois et un verre d'eau. Laisser cuire à petits bouillons 5 minutes.
3	Ajouter ensuite les tomates, la sauge ciselée et les noix de pétoncles. Assaisonner et remuer. Couvrir et laisser cuire 10 minutes environ.	4	Verser dans un plat de service. Déguster aussitôt, décoré de feuilles de sauge fraîche.

PIPERADE BASQUAISE

POUR 2 PERSONNES • PRÉPARATION : 20 MINUTES • CUISSON : 1 HEURE

200 g de tomates
100 g de poivrons rouges et verts
200 g de courgettes
60 g d'aubergine

1 oignon moyen
4 petits œufs
½ feuille de laurier
Thym

Piment de Cayenne en poudre
Persil finement ciselé
Beurre
Sel, poivre du moulin

1	Laver, éplucher et découper les légumes en morceaux réguliers.	2	Faire fondre l'oignon 2 à 3 minutes dans une poêle antiadhésive.	
3	Ajouter les légumes, le laurier et du piment de Cayenne et faire étuver sur feu doux après les avoir salés pendant 40 minutes.	4	Battre les œufs dans un saladier.	➢

5 6
7 8

5	Faire fondre une noisette de beurre dans une poêle et y verser les œufs battus.	6	Fouetter à l'aide d'un fouet jusqu'à obtenir des œufs brouillés.
7	Ajouter les œufs brouillés aux légumes.	8	Mélanger : la consistance doit être celle d'une mayonnaise épaisse.

9

Disposer dans un plat de service. Décorer de persil et de thym puis servir aussitôt.

POUR LES CARNIVORES

Compléter cette piperade en ajoutant des tranches de ventrèche grillées ou de jambon fumé.

TAJINE DE POTIRON

⇝ **POUR 4 PERSONNES • PRÉPARATION : 30 MINUTES • CUISSON : 40 MINUTES** ⇜

1 kg de potiron (700 g pelé)
2 coings
3 pommes de terre (300 g)
1 gros oignon

1 cuillère à café d'huile d'olive
1 pincée de muscade moulue
1 pincée de cannelle en poudre
1 pincée de cumin en poudre

2 clous de girofle
1 cuillère à soupe de miel
2 cuillères à soupe de raisins secs
Sel, poivre du moulin

1 2

3 4

1	Éplucher le potiron, les coings et les pommes de terre. Les couper en cubes.	2	Dans une cocotte antiadhésive (ou, mieux, un plat à tajine), faire revenir l'oignon émincé dans l'huile. Ajouter toutes les épices, le miel et un verre d'eau. Laisser mijoter quelques instants.
3	Ajouter tous les légumes. Laisser cuire 30 minutes.	4	Ajouter les raisins secs juste avant de servir.

LES VIANDES

3

AU FOUR

POÊLÉS

VAPEUR

POULET ANANAS ET CORIANDRE

POUR 4 PERSONNES • PRÉPARATION : 10 MINUTES • CUISSON : 20 MINUTES

4 blancs de poulet (700 g)
1 boîte d'ananas au sirop léger (570 g)
2 cuillères à café de coriandre en poudre
Une pincée de piment
Sel, poivre du moulin

AU PRÉALABLE :
Préchauffer le four à 200 °C (th. 6-7).

1 2
3

1	Égoutter les tranches d'ananas et les mixer. Ajouter la coriandre et le piment.	2	Fendre chaque blanc de poulet dans l'épaisseur mais sans aller jusqu'à les séparer, saler et poivrer puis les farcir avec une couche d'ananas aux épices.
3	Dans un plat à four, déposer les blancs de poulet côte à côte et verser le reste de purée d'ananas.	4	Enfourner pour 20 minutes. Servir avec des patates douces.

RÔTI DE DINDE AUX ÉPICES

POUR 4 PERSONNES • PRÉPARATION : 20 MINUTES • REPOS : 30 MINUTES • CUISSON : 45 MINUTES

1 rôti de dinde (800 g)
2 gousses d'ail et 2 oignons
3 courgettes
1 boîte de pois chiches (265 g)
1 cuillère à soupe de miel
1 cuillère à soupe de jus de citron
1 cuillère à soupe de cumin
1 cuillère à café de cannelle
50 cl de bouillon de poule dégraissé
Sel, poivre

AU PRÉALABLE :
Préchauffer le four à 200 °C (th. 6-7).

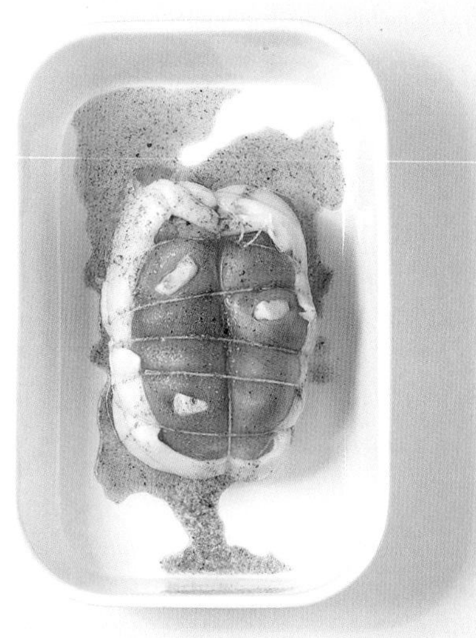

1	Peler les gousses d'ail et les piquer dans la viande.	2	Dans un bol, mélanger le miel, le jus de citron, le cumin, la cannelle, du sel et du poivre.	
3	Disposer la viande dans un plat à four puis la badigeonner sur toutes ses faces avec la préparation précédente. Laisser mariner pendant 30 minutes.	4	Éplucher les courgettes et les oignons. Les détailler en morceaux.	➤

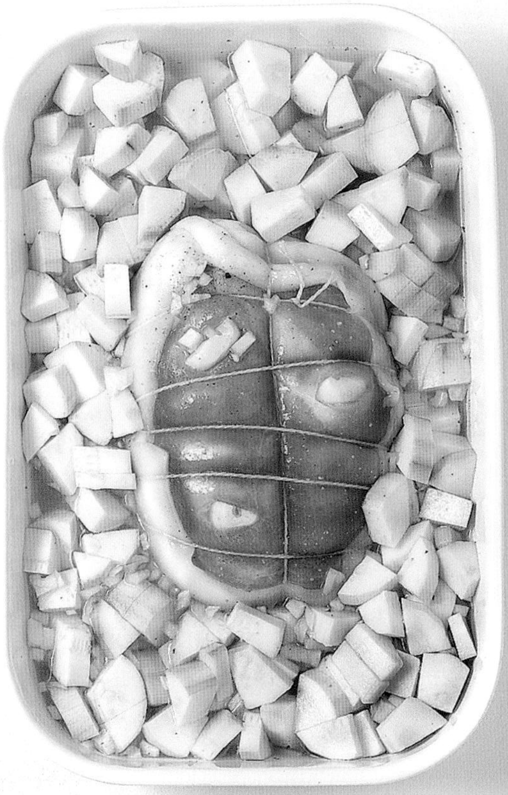

5	Disposer les légumes autour de la viande. Verser le bouillon de poule sur les légumes et enfourner pour 45 minutes. À mi-cuisson, retourner la viande et remuer les légumes. Cinq minutes avant la fin de la cuisson, ajouter les pois chiches, égouttés et rincés.	**ASTUCE** ☛ Si la viande a tendance à trop griller, placer une feuille de papier d'aluminium au-dessus et poursuivre la cuisson.

6	Découper la viande en tranches puis servir avec les légumes.	**ACCOMPAGNEMENT** Agrémenter ce plat d'endives braisées. **VARIANTE** Remplacer 1 ou 2 courgettes par le même nombre de carottes.

CÔTE DE VEAU EN PAPILLOTE

POUR 4 PERSONNES • PRÉPARATION : 10 MINUTES • CUISSON : 15 MINUTES

4 côtes de veau (150 g chacune)
20 g de beurre
8 filets d'anchois à l'huile
Persil
Sel, poivre

AU PRÉALABLE :
Préchauffer le four à 220 °C (th. 7-8).
Sortir le beurre du réfrigérateur pour qu'il soit mou.

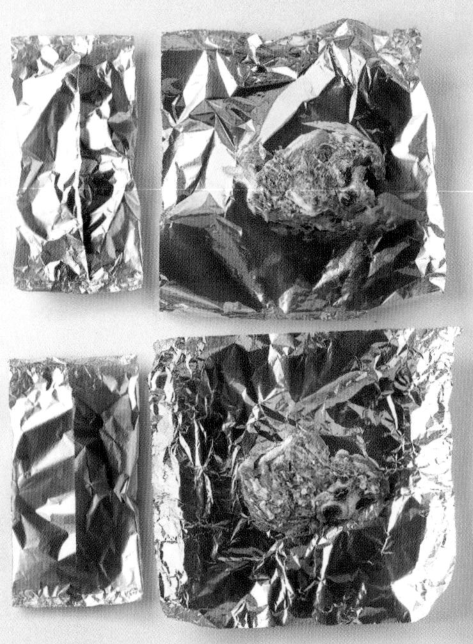

1	Laver et hacher le persil. Piler les anchois ou les écraser à la fourchette.	2	Incorporer le persil au beurre ramolli à l'aide d'une fourchette puis incorporer les anchois pilés. Saler et poivrer.
3	Enduire les côtes de veau de cette préparation puis les envelopper individuellement dans un carré de papier d'aluminium. Refermer la papillote hermétiquement.	4	Faire cuire 15 minutes à four chaud. Accompagner de purée de pommes de terre et de légumes persillés.

41

PINTADE AUX PETITS LÉGUMES

POUR 4 PERSONNES • PRÉPARATION : 15 MINUTES • CUISSON : 20 MINUTES

4 cuisses de pintade (150 g chacune)
300 g de haricots verts
2 échalotes
1 pomme
2 carottes
4 cuillères à café de beurre
1 cuillère à soupe de curry
Sel, poivre

AU PRÉALABLE :
Préchauffer le four à 210 °C (th. 7).

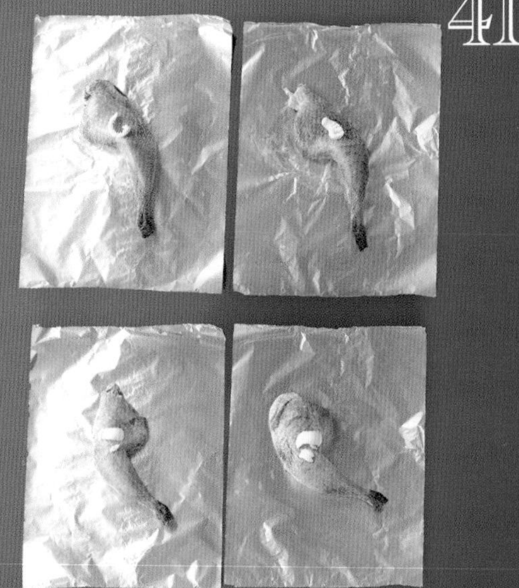

1 2

3 4

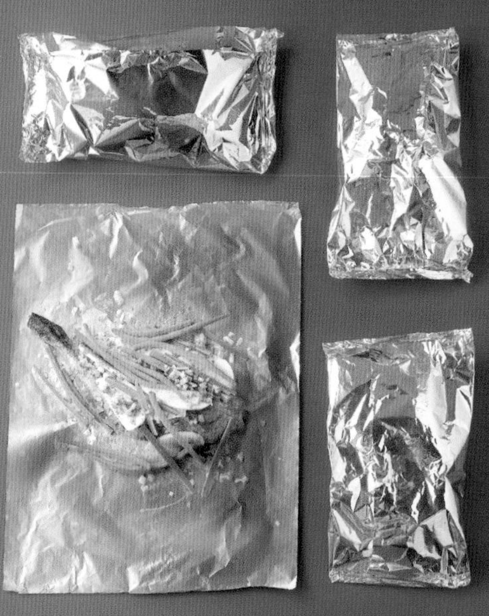

1	Équeuter les haricots. Émincer les échalotes. Peler la pomme, l'émincer en lamelles. Éplucher les carottes, les couper en julienne.	2	Poser chaque cuisse de pintade sur une feuille de papier d'aluminium. Ajouter une noisette de beurre.
3	Répartir les légumes et les lamelles de pomme puis saupoudrer de curry. Refermer les papillotes hermétiquement. Enfourner 20 minutes.	4	Servir bien chaud.

GIGOT D'AGNEAU MARINÉ ET RÔTI

POUR 8 PERSONNES • PRÉPARATION : 20 MINUTES • MARINADE : 12 HEURES • CUISSON : 1 HEURE

1 gigot d'agneau désossé (1,5 kg)
1 carotte pelée et coupée en rondelles
1 feuille de laurier
1 branche de thym
1 oignon
1 cuillère à café de grains de poivre noir
1 cuillère à café de baies de genièvre
2 clous de girofle
50 cl de vin blanc sec
6 cuillères à café d'huile d'olive
20 cl de bouillon de volaille
1 cuillère à café de farine
2 cuillères à café de margarine
Sel, poivre

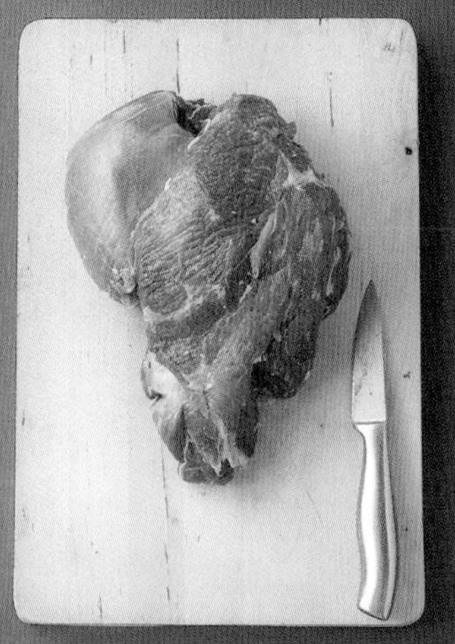

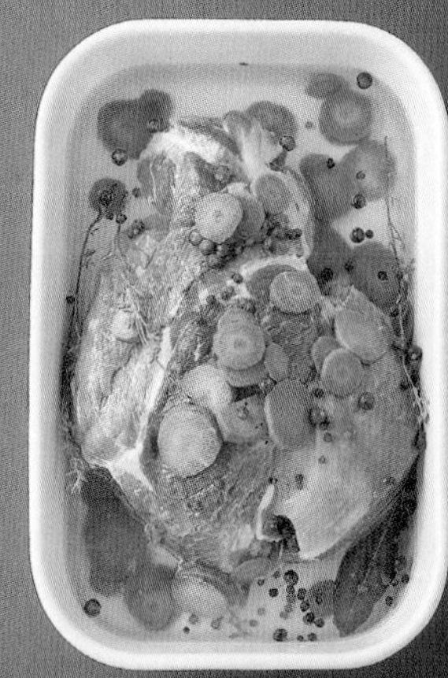

1 2
3 4

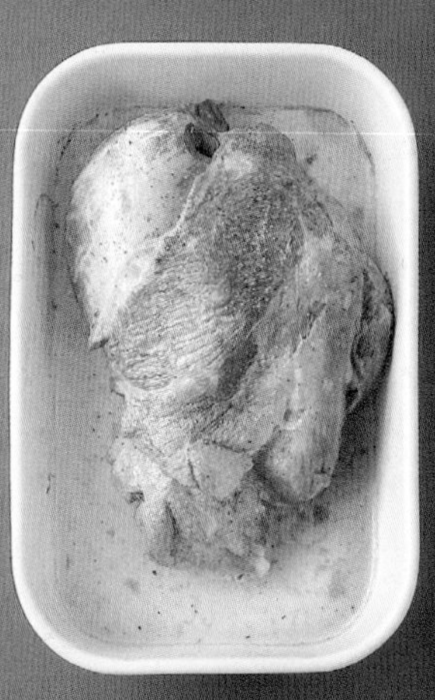

1	La veille, dégraisser le gigot.	2	Le mettre dans un plat avec les aromates, la carotte et le vin. Réserver au frais 12 heures en retournant la viande et en l'arrosant.	
3	Le lendemain, préchauffer le four à 250 °C (th. 8-9). Égoutter le gigot et l'éponger, filtrer la marinade. Mettre le gigot dans un plat allant au four, l'enduire d'huile à l'aide d'un pinceau.	4	Enfourner et baisser le four à 210 °C. Cuire 40 minutes en arrosant et en retournant la viande. Saler et poivrer à la fin. Réserver le gigot au chaud.	➢

5 6

7 8

5	Verser 20 cl de jus de cuisson et la marinade restante dans une casserole, ajouter le bouillon de volaille, porter à ébullition et faire réduire 10 minutes à feu moyen.	6	Peler et émincer l'oignon en lamelles.
7	Le faire revenir dans une casserole antiadhésive avec la margarine.	8	Saupoudrer de farine et délayer avec le liquide réduit. Saler légèrement, poivrer et laisser mijoter à feu doux pendant 5 minutes.

9	Couper le gigot en tranches, servir la sauce à part.	**ACCOMPAGNEMENT** ☛ Accompagner d'une jardinière de légumes composée de carottes et de navets nouveaux, de petits pois, de rattes et de laitue.

PORC À LA CANNELLE

POUR 4 PERSONNES • PRÉPARATION : 10 MINUTES • CUISSON : 17 MINUTES

4 tranches de rôti de porc dans le filet
20 cl de lait demi-écrémé
1 cuillère à café de cannelle en poudre
Sel, poivre

AU PRÉALABLE :
Préchauffer le four à 180 °C (th. 6).

1 2
3 4

1	Saler et poivrer les tranches de porc. Les faire dorer à sec dans une poêle antiadhésive, à feu moyen, 1 minute de chaque côté.	2	Les retirer de la poêle et les saupoudrer de cannelle.
3	Faire chauffer le lait. Mettre les tranches de porc dans un plat allant au four, arroser de lait et enfourner pour 15 minutes. Retourner à mi-cuisson.	4	Servir aussitôt, accompagné de carottes ou de pommes de terre en purée.

PORC AUX PRUNEAUX

POUR 4 PERSONNES • PRÉPARATION : 10 MINUTES • CUISSON : 10 MINUTES

300 g de filet mignon de porc
4 cuillères à café de moutarde à l'ancienne au vin blanc
½ cuillère à café de curry
12 pruneaux dénoyautés
2 carottes
20 cuillères à café de crème fraîche à 8 %
Sel, poivre

AU PRÉALABLE :
Préchauffer le four à 180 °C (th. 6).

1 2
3 4

1	Couper le filet mignon en 8 petites noisettes. Les recouvrir de moutarde.	2	Peler et détailler les carottes en bâtonnets assez fins.
3	Déposer sur 4 feuilles de papier d'aluminium des bâtonnets de carotte, 2 noisettes de porc et 3 pruneaux. Saler, poivrer, saupoudrer de curry et ajouter 5 cuillerées à café de crème fraîche.	4	Fermer les papillotes hermétiquement en forme d'aumônière puis enfourner pour 10 minutes. Servir avec des tagliatelle.

PETITS FARCIS EN PAPILLOTE

POUR 4 PERSONNES • PRÉPARATION : 20 MINUTES • CUISSON : 35 MINUTES

200 g de steak haché à 5 %
4 petites courgettes rondes
2 poivrons
2 gousses d'ail

150 g de pain rassis
40 cl de lait écrémé
Persil
Sel, poivre du moulin

AU PRÉALABLE :
Préchauffer le four à 180 °C (th. 6).

1	Couper le pain en morceaux. Le mettre dans un saladier avec le lait. Laisser imbiber.	2	Découper un chapeau dans les courgettes, creuser l'intérieur en enlevant les graines. Ouvrir les poivrons en deux, les épépiner. Peler l'ail et le hacher finement.
3	Ajouter la viande au pain trempé puis l'ail et le persil. Saler, poivrer la farce obtenue. Mélanger tous les ingrédients. Farcir les légumes.	4	Disposer chaque demi-courgette et demi-poivron dans un papier sulfurisé. Refermer les papillotes et enfourner pour 35 minutes.

AIGUILLETTES DE POULET AU SOJA

POUR 4 PERSONNES • PRÉPARATION : 10 MINUTES • CUISSON : 10 MINUTES

250 g d'aiguillettes de poulet
(ou escalopes de poulet coupées en lanières)
1 sachet de riz cuisson rapide (125 g)
½ cube de bouillon de volaille dégraissé

1 cuillère à café d'huile végétale
1 cuillère à soupe de sauce soja
1 bocal de germes de soja au naturel
3 cuillères à soupe de crème fraîche à 4 %

1	Faire cuire le riz dans de l'eau bouillante avec le cube de bouillon de volaille pendant 10 minutes.	2	Pendant la cuisson, faire revenir le poulet dans l'huile dans une poêle antiadhésive.
3	Ajouter la sauce soja, faire revenir 1 minute en remuant. Égoutter les germes de soja et les verser dans la poêle.	4	Égoutter le sachet de riz cuit, le mélanger à la préparation précédente et lier le tout avec la crème fraîche. Servir chaud.

47

VEAU AUX AGRUMES

POUR 4 PERSONNES • PRÉPARATION : 10 MINUTES • CUISSON : 10 MINUTES • MARINADE : 3 HEURES

4 escalopes de veau (135 g chacune)
Le jus de 3 citrons
Le jus de 1 orange

2 cuillères à café d'huile d'olive
5 cuillères à café de paprika doux en poudre
Sel, poivre

* Feuille de Téflon alimentaire qui permet de cuisiner sans ajouter de matière grasse.

1 2
3 4

1	Mélanger tous les ingrédients (sauf le veau) dans un plat creux.	2	Pratiquer 2-3 entailles dans la viande puis rouler les escalopes dans la marinade. Couvrir le plat et réserver 3 heures au frais.
3	Sortir les escalopes de la marinade et les égoutter rapidement. Les faire cuire quelques minutes de chaque côté dans une poêle chaude recouverte d'une feuille de cuisson*.	4	Servir avec des légumes croquants.

TOURNEDOS & CHAMPIGNONS

POUR 2 PERSONNES • PRÉPARATION : 10 MINUTES • CUISSON : 10 MINUTES

2 tournedos de filet de dinde surgelés
1 cuillère à café de ciboulette surgelée
150 g de champignons de Paris
1 échalote
2 cuillères à café de margarine
5 cl de bouillon de volaille dégraissé
2 cuillères à soupe de lait concentré non sucré à 4 %
Sel, poivre

AU PRÉALABLE :
Mettre les tournedos à décongeler au réfrigérateur 6 heures à l'avance.

1	Peler et hacher l'échalote. Enlever le pied des champignons, rincer, éponger et détailler les têtes en lamelles.	2	Faire chauffer 1 cuillère à café de margarine dans une sauteuse, y saisir les champignons. Saler et poivrer. Réserver.	
3	Faire chauffer 1 cuillère à café de margarine dans la sauteuse. Y cuire les tournedos 3 minutes de chaque côté, saler et poivrer.	4	Enlever la barde qui les entoure.	➢

5	Remettre les tournedos dans la sauteuse avec les champignons. Verser le bouillon de volaille et le lait concentré, remuer, couvrir et cuire 2 minutes à feu doux.	**VARIANTE** ☛ Cette recette fonctionne aussi parfaitement avec des côtes de veau.

6	Parsemer de ciboulette et servir bien chaud.	**OPTION** Cette recette peut être préparée avec des tournedos frais. **ACCOMPAGNEMENT** Servir avec des pâtes ou augmenter la quantité de champignons.

49

STEAK AU POIVRE VERT

POUR 1 PERSONNE • PRÉPARATION : 10 MINUTES • CUISSON : 10 MINUTES

1 steak (100 g)
100 g de champignons de Paris
1 cuillère à café de poivre vert
5 cuillères à soupe de crème fluide légère à 4 %
Sel

* Feuille de Téflon alimentaire qui permet de cuisiner sans ajouter de matière grasse.

1 2
3 4

1	Concasser le poivre vert et le réhydrater en le couvrant de crème fluide. Émincer les champignons.	2	Cuire le steak dans une poêle recouverte d'une feuille de cuisson*. Saler.
3	À mi-cuisson, ajouter les champignons. Cuire jusqu'à ce qu'ils aient rendu leur eau.	4	Lorsqu'ils ont rendu leur eau, verser dessus la crème au poivre et servir aussitôt.

50

ÉMINCÉ DE CHOU-POULET GRILLÉ

POUR 4 PERSONNES • PRÉPARATION : 15 MINUTES • CUISSON : 5 MINUTES

400 g de chou blanc
2 escalopes de poulet (200 g)
100 g de fromage blanc à 0 %
1 cuillère à café de vinaigre de cidre

1 cuillère à soupe de moutarde
3 cuillères à café d'huile d'olive
1 cuillère à café de menthe surgelée
Sel, poivre du moulin

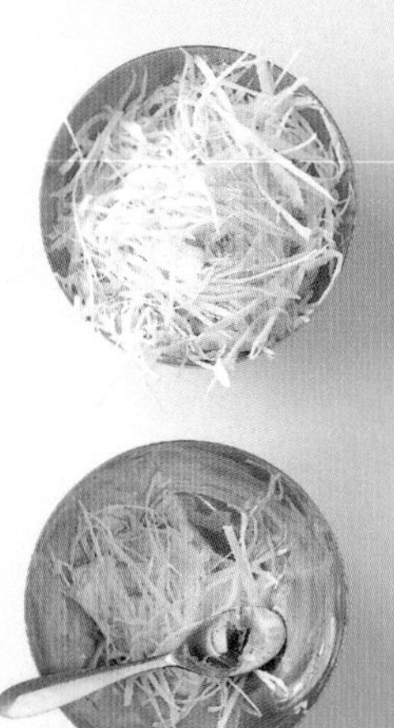

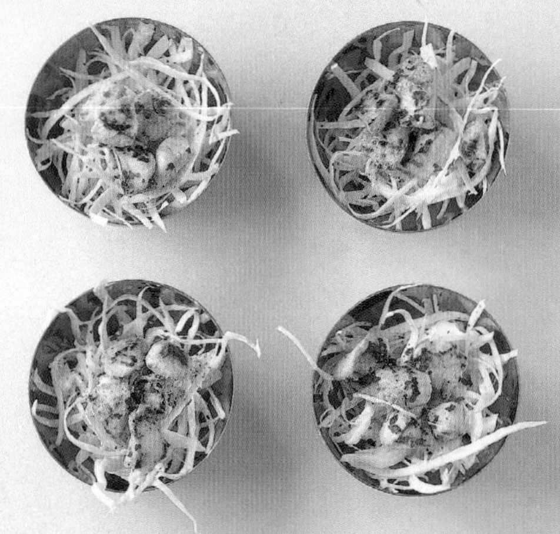

1	Émincer le chou blanc finement. Couper les escalopes de poulet en dés.	2	Enrober les dés de poulet de moutarde. Faire chauffer 1 cuillerée à café d'huile d'olive et les faire revenir 5 minutes en remuant.
3	Dans un saladier, mélanger le fromage blanc avec 2 cuillerées à café d'huile d'olive et le vinaigre. Saler et poivrer. Verser l'émincé de chou et mélanger.	4	Répartir dans 4 coupelles, ajouter quelques dés de poulet grillé et parsemer de menthe.

BOULETTES BŒUF ET MENTHE

POUR 16 BOULETTES • PRÉPARATION : 5 MINUTES • CUISSON : 10 MINUTES

400 g de steak haché de bœuf à 5 %
1 oignon
1 gousse d'ail
50 g de pain rassis

1 cuillère à soupe de persil ciselé
1 cuillère à soupe de menthe ciselée
+ 6 feuilles de menthe
2 cuillères à soupe de farine tamisée (40 g)

1 cuillère à café d'huile d'olive
Sel et poivre du moulin

1
3

1	Dans un saladier, mouiller le pain avec un peu d'eau. Éplucher l'oignon et l'ail puis les mixer.	2	Mélanger ensemble le pain, la viande, le persil, la menthe, le mélange ail-oignon, du sel et du poivre. Former 16 petites boulettes et les rouler dans la farine.
3	Chauffer une poêle antiadhésive. Faire revenir les boulettes dans l'huile d'olive en les retournant régulièrement pour qu'elles dorent.	4	Les présenter dans un plat creux. Piquer un petit pic en bois dans chacune. Servir avec quelques feuilles de menthe.

CANARD AUX ABRICOTS

POUR 4 PERSONNES • PRÉPARATION : 10 MINUTES • CUISSON : 10 MINUTES

350 g d'aiguillettes de canard
½ sachet de soupe à l'oignon déshydratée (20 g)

1 boîte d'abricots au sirop léger de 400 g (235 g égouttés)
Sel, poivre

1 2

3 4

1	Couper les abricots en deux ou en trois. Réserver le jus.	2	Dans une poêle antiadhésive, faire revenir les aiguillettes de canard. Saler et poivrer.
3	Lorsque les aiguillettes de canard sont dorées, parsemer de poudre pour soupe à l'oignon, ajouter les morceaux d'abricots et leur jus. Laisser mijoter à feu doux quelques instants.	4	Servir chaud, accompagné de riz ou de boulgour.

WOK DE POULET AU SOJA

POUR 6 PERSONNES • PRÉPARATION : 10 MINUTES • CUISSON : 25 MINUTES

6 blancs de poulet
2 carottes
1 courgette
1 poivron rouge

1 poivron jaune
250 g de germes de soja en bocal
4 brins de coriandre
2 cuillères à soupe d'huile d'olive

1 cuillère à soupe de vinaigre de Xérès
1 cuillère à soupe de sauce soja
1 cuillère à soupe de graines de sésame
Sel, poivre du moulin

1

3 4

1	Couper les blancs de poulet en cubes. Couper les carottes en bâtonnets ainsi que la courgette. Émincer les poivrons. Rincer et égoutter les germes de soja. Ciseler la coriandre.	2	Faire chauffer l'huile dans un wok pour faire revenir les carottes et les poivrons 5 minutes sur feu vif.
3	Ajouter le poulet, cuire 10 minutes. Saler, poivrer. Incorporer la courgette, les germes de soja et la coriandre. Cuire encore 5 minutes.	4	Verser alors le vinaigre, la sauce soja et parsemer de graines de sésame. Maintenir la cuisson 5 minutes et servir aussitôt.

BLANQUETTE DE VEAU VAPEUR

POUR 4 PERSONNES • PRÉPARATION : 15 MINUTES • CUISSON : 30 MINUTES

500 g de noix de veau
400 g de carottes
200 g de blanc de poireau
1 branche de céleri
1 bouquet garni
1 citron
8 cuillères à soupe de crème fraîche à 4 % ou à 5 %
1 cuillère à café de persil haché
2 cuillères à café de fond de volaille
Sel, poivre

54

1	Couper les carottes en allumettes, le poireau en tronçons, le céleri en dés, le veau en cubes.	2	Mettre les légumes et le bouquet garni dans le bas d'un cuit-vapeur. Couvrir et cuire 10 minutes.	3	Frotter la viande avec un demi-citron, l'étaler dans le bac supérieur. Saler, poivrer et cuire 10 minutes.
4	Faire bouillir 20 cl d'eau, y diluer le fond de volaille et laisser réduire (8 minutes).	5	Ajouter la crème et un filet de jus de citron. Cuire 2 minutes, tout en remuant.	6	Servir la viande et les légumes nappés de sauce et parsemés de persil haché.

55

AIGUILLETTES SAUCE POULETTE

POUR 1 PERSONNE • PRÉPARATION : 5 MINUTES • CUISSON : 8 MINUTES

250 g d'escalope de poulet
¼ de cuillère à café de muscade
1 cuillère à café de fécule de pomme de terre

75 ml de bouillon de volaille
75 ml de lait concentré non sucré à 4 % (80 g)
Sel, poivre du moulin

EN CUISSON TRADITIONNELLE :
Cuire les aiguillettes avec le bouillon 10 minutes et faire épaissir la sauce dans une casserole à feu moyen.

1 2

3 4

1	Détailler l'escalope de poulet en aiguillettes.	2	Les mettre dans une cocotte en verre culinaire avec le bouillon et la muscade, couvrir et cuire 6 minutes au micro-ondes (800 W). Réserver.
3	Délayer la fécule dans 1 cuillerée à soupe d'eau, diluer dans le lait concentré et verser dans le liquide de cuisson. Rectifier l'assaisonnement. Couvrir et cuire 1 minute à 800 W.	4	Remettre les aiguillettes dans la sauce. Faire réchauffer le tout 1 minute, puissance 600 W. Déguster sans attendre.

PORC AU LAIT, SAUCE CURRY

POUR 2 PERSONNES • PRÉPARATION : 10 MINUTES • CUISSON : 9 MINUTES

2 tranches de rôti de porc (120 g chacune)
1 oignon blanc (60 g)
2 feuilles de sauge
1 cuillère à café de curry

1 cuillère à café de fécule de maïs
10 cl de lait écrémé
2 cuillères à soupe de crème fraîche à 5 %
Sel, poivre

AU PRÉALABLE :
Peler et émincer l'oignon finement.

1 2
3 4

1	Verser le lait, l'oignon et la sauge dans une cocotte en verre culinaire. Couvrir et cuire 1 minute à 800 W puis 3 minutes à 600 W.	2	Saler et poivrer la viande, l'ajouter à la cocotte et cuire 4 minutes à 600 W, en la tournant à mi-cuisson. Laisser reposer 2 minutes puis débarrasser la viande de l'oignon.
3	Mixer le lait et l'oignon avec le curry. Délayer la fécule dans un peu d'eau, l'incorporer et ajouter la crème. Faire chauffer 1 minute, à 800 W.	4	Servir la viande avec la sauce au curry et donner un tour de moulin à poivre avant de déguster.

LES POISSONS

4

EXPRESS

RÔTIS

PAPILLOTES

SOLE AU CITRON

POUR 4 PERSONNES • PRÉPARATION : 10 MINUTES • CUISSON : 5 MINUTES

4 filets de sole (560 g)
Le jus de 1 citron
1 cuillère à café de persil haché
2 cuillères à soupe de chapelure (30 g)
2 cuillères à café de margarine à 60 %
Sel, poivre du moulin

1 2

3 4

1	Saler et poivrer les filets de sole, les saupoudrer de chapelure.	2	Faire chauffer la margarine dans une poêle antiadhésive, y saisir les filets de sole 3 minutes sur une face.
3	Retourner les poissons et poursuivre la cuisson 2 minutes.	4	Arroser de jus de citron et parsemer de persil. Servir bien chaud.

PAVÉS DE SAUMON ET POIREAUX

POUR 4 PERSONNES • PRÉPARATION : 5 MINUTES • CUISSON : 15 MINUTES

4 pavés de saumon (500 g)
140 g de riz basmati
1 grosse boîte de poireaux entiers
1 échalote émincée
Sel, poivre

AU PRÉALABLE :
Faire cuire le riz 10 minutes dans de l'eau bouillante salée.

1	Ôter la peau du saumon et couper les pavés en 3 morceaux. Rincer et égoutter les poireaux en les pressant. Les couper en rondelles épaisses.	2	Faire revenir les poireaux et l'échalote. Ajouter le riz cuit. Bien mélanger sur feu doux.
3	Enfoncer les cubes de saumon dans le riz. Saler, poivrer, couvrir et laisser cuire 10 minutes en retournant les cubes de poisson à mi-cuisson.	4	Servir sans attendre.

59

SAINT-JACQUES ET MÂCHE

POUR 4 PERSONNES • PRÉPARATION : 5 MINUTES • CUISSON : 6 MINUTES

500 g de noix de Saint-Jacques
250 g de mâche
2 cuillères à café de beurre
20 g de baies roses concassées

3 cuillères à café de vinaigre de framboise ou de Xérès
Sel, poivre

1 2

3 4

1	Rincer puis égoutter la mâche.	2	Dans une poêle, faire revenir les noix de Saint-Jacques dans le beurre 3 minutes sur chaque face. Réserver.
3	Déglacer la poêle avec le vinaigre de framboise ou de Xérès, saler et poivrer.	4	Répartir la salade puis les noix de Saint-Jacques, arroser d'un filet de sauce et parsemer quelques baies roses. Servir aussitôt.

HADDOCK AU THYM CITRON

POUR 4 PERSONNES • PRÉPARATION : 20 MINUTES • CUISSON : 10 MINUTES

400 g de filets de haddock
½ l de lait écrémé
8 cuillères à café de beurre
½ poivron rouge
½ poivron vert
2 brins de thym citron
2 brins d'aneth
Sel, poivre

AU PRÉALABLE :
Ciseler l'aneth.

1 2

3 4

1	Couper les filets de haddock en tronçons d'environ 1,5 cm de large.	2	Les pocher 5 minutes dans le lait avec le thym citron. Retirer le haddock, le réserver au chaud.
3	Faire bouillir le lait, ajouter le beurre en petits dés en remuant. Saler, poivrer, laisser dans un bain-marie.	4	Ôter pédoncule et graines des poivrons, les peler et les émincer en bâtonnets.

5	Les cuire 4 minutes à l'eau bouillante. Égoutter.	

6	Servir le haddock avec la sauce au thym, les poivrons et l'aneth.	**VARIANTE** Ajouter d'autres légumes, notamment des tomates ou des courgettes.

61

LOTTE AUX TOMATES ET SAFRAN

POUR 6 PERSONNES • PRÉPARATION : 10 MINUTES • CUISSON : 20 MINUTES

850 g de lotte
1 botte de petits oignons blancs
1 branche de céleri
350 g de tomates en grappe
2 gousses d'ail hachées
2 feuilles de laurier
8 cuillères à café d'huile d'olive
1 dosette de safran
Sel, poivre

AU PRÉALABLE :
Couper la lotte en morceaux.

1 2

3 4

1	Éplucher et laver les oignons blancs. Couper le céleri en petits morceaux. Peler les tomates, les couper en morceaux.	2	Dans une cocotte en verre, disposer les oignons, le céleri et l'huile. Mettre au micro-ondes 5 minutes à 750 W. Ajouter les morceaux de tomates, l'ail haché et le safran à la préparation. Remettre à cuire 5 minutes.
3	Ajouter les morceaux de lotte, le laurier et poursuivre la cuisson 10 minutes.	4	Laisser reposer 5 minutes avant de servir.

SAINT-JACQUES AUX POIREAUX

POUR 2 PERSONNES • PRÉPARATION : 15 MINUTES • CUISSON : 8 MINUTES

240 g de noix de Saint-Jacques, sans corail
280 g de blancs de poireau
Le zeste de 1 citron vert
12,5 cl de bourgogne aligoté

8 cuillères à café de crème fraîche allégée
Cerfeuil
Sel, poivre

AU PRÉALABLE :
Laver les blancs de poireau, les émincer en rondelles.

1 2
3 4

1	Mettre les blancs de poireau dans un plat avec le vin, du sel et du poivre. Faire cuire 5 minutes au four à micro-ondes, puissance maximale.	2	Laver les noix de Saint-Jacques, les couper en deux dans l'épaisseur.
3	Les disposer sur les poireaux, ajouter la crème fraîche. Glisser le plat au four à micro-ondes et faire cuire 3 minutes, puissance maximale.	4	Parsemer de cerfeuil et de zeste de citron vert avant de servir.

BAR AU FOUR

POUR 2 PERSONNES • PRÉPARATION : 15 MINUTES • CUISSON : 25 MINUTES

2 petits bars entiers, vidés
1 citron vert
2 branches de thym
300 g d'oignons doux
2 tomates
2 gousses d'ail
2 cuillères à café d'huile d'olive
10 cl de vin blanc sec
1 cuillère à café de fumet de poisson
Sel, poivre

AU PRÉALABLE :
Préchauffer le four à 180 °C (th. 6).
Rincer et essuyer les poissons.
Diluer le fumet de poisson dans 10 cl d'eau chaude.

1 2

3 4

1	Couper le citron en rondelles. Peler et émincer les oignons, peler et couper les tomates en rondelles.	2	Faire 2-3 incisions sur la peau des poissons. Les badigeonner d'huile. Saler et poivrer l'intérieur, y ranger les rondelles de citron et le thym.
3	Mettre les tomates et les oignons dans un plat, arroser de vin blanc et de fumet de poisson dilué. Déposer les bars et ajouter les gousses d'ail. Donner un tour de moulin à poivre.	4	Enfourner pour 25 minutes, en prenant soin de retourner les poissons et de mélanger la sauce à mi-cuisson. Servir bien chaud.

CABILLAUD ET CONCOMBRE

✧ **POUR 4 PERSONNES** • PRÉPARATION : 45 MINUTES • CUISSON : 10 MINUTES ✧

4 darnes de cabillaud de 120 g chacune
2 échalotes hachées
2 concombres (800 g)
2 citrons verts
2 cuillères à café de persil haché
2 cuillères à café de margarine végétale
4 cuillères à café de crème fraîche
12,5 cl de vin blanc
Sel, poivre

AU PRÉALABLE :
Préchauffer le four à 210 °C (th. 7).

1 2
3 4

1	Dans un plat à four margariné et parsemé d'échalotes hachées, poser les darnes de cabillaud salées des deux côtés. Ajouter le vin blanc et 10 cl d'eau, recouvrir d'une feuille d'aluminium et enfourner pour 10 minutes.	2	Peler les concombres, enlever les graines. Les couper en lamelles très fines. Réserver au frais.	
3	Peler les citrons à vif, les couper en dés (0,5 cm de côté).	4	Mélanger les dés de citron et les rondelles de concombres.	➢

5	Sortir le plat de cabillaud du four, ajouter la crème fraîche et le mélange citron-concombre. Remettre au four 1 minute.	**OPTION** ☛ Ajouter un peu de chapelure sur le dessus de la préparation et passer sous le gril quelques instants.

6

Parsemer de persil haché. Dresser sur les assiettes puis servir aussitôt.

VARIANTE

Remplacer le cabillaud par du lieu.

ACCOMPAGNEMENT

Servir avec un peu de riz ou de blé.

65

SAUMON À LA MANGUE

→ POUR 4 PERSONNES • PRÉPARATION : 10 MINUTES • CUISSON : 13 MINUTES ←

4 filets de saumon frais, de 120 g chacun
1 verre de vin blanc sec
1 boîte de mangue au naturel (poids net 250 g)
20 g de beurre
1 sachet de sauce hollandaise déshydratée (32 g)
2 cuillères à soupe d'échalotes surgelées
Le jus de 1 citron
Sel, poivre

AU PRÉALABLE :
Préchauffer le four à 190 °C (th. 6-7).
Rincer puis essuyer les filets de saumon.

65

1 2

3 4

1	Dans un plat à four, verser le vin blanc et l'échalote puis déposer les filets de poisson. Enfourner pour 10 minutes.	2	Égoutter les morceaux de mangue. Réserver un beau morceau, le couper en lamelles larges, et mixer le reste.
3	Délayer la sauce hollandaise dans 20 cl d'eau chaude et 20 g de beurre. Ajouter le jus de citron. Mélanger et faire chauffer 3 minutes. Ajouter la mangue mixée, saler et poivrer.	4	Sur des assiettes chaudes, présenter une part de saumon, napper de sauce et décorer avec une ou deux lamelles de mangue.

CREVETTES AU CITRON CONFIT

POUR 4 PERSONNES • PRÉPARATION : 15 MINUTES • CUISSON : 15 MINUTES

360 g de queues de crevettes crues, décortiquées, surgelées (36 pièces)
2 gousses d'ail
1 oignon rouge
4 cuillères à soupe de coriandre ciselée
8 cuillères à soupe de jus de citron
1 citron confit au sel
1 cuillère à café de curcuma
4 cuillères à café d'huile d'olive
Poivre du moulin

AU PRÉALABLE :
Préchauffer le four à 210 °C (th. 7).

1 2

3 4

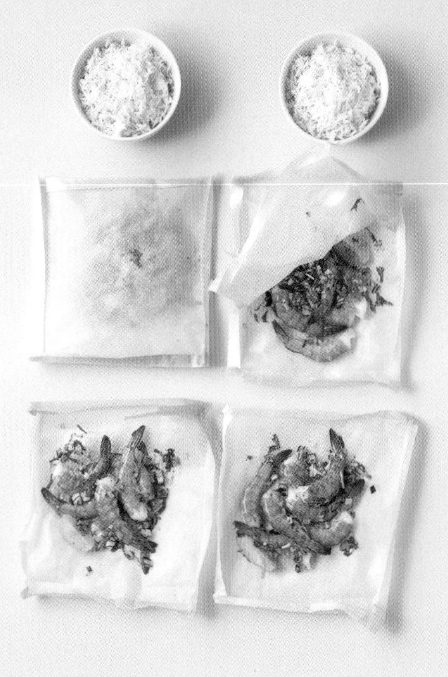

1	Peler et hacher les gousses d'ail et l'oignon. Rincer le citron confit, le couper en 4 quartiers.	2	Répartir les queues de crevettes surgelées sur 4 carrés de papier sulfurisé, ajouter un quartier de citron confit. Saupoudrer de curcuma, d'ail et d'oignons hachés puis de coriandre. Arroser d'huile d'olive et de jus de citron. Poivrer.
3	Couvrir avec un autre carré de papier sulfurisé et fermer les papillotes. Enfourner 15 minutes.	4	Servir dans les assiettes après avoir ouvert les papillotes et accompagner de riz nature.

MAQUEREAUX AU BASILIC

POUR 4 PERSONNES • PRÉPARATION : 10 MINUTES • CUISSON : 15 MINUTES • MARINADE : 15 MINUTES

4 filets de maquereau
2 gousses d'ail
1 oignon blanc nouveau
2 cuillères à café de basilic surgelé

8 cuillères à soupe de vin blanc sec
1 cuillère à café d'huile d'olive
4 tomates pelées entières en boîte
Sel, poivre

AU PRÉALABLE :
Peler les gousses d'ail et l'oignon, les hacher finement.

1	Mettre l'ail et l'oignon dans un bol avec le basilic, le vin blanc et l'huile d'olive. Laisser mariner 15 minutes au frais.	2	Préchauffer le four à 240 °C (th. 8). Presser les tomates pour éliminer le jus, les couper en tranches.
3	Les disposer sur 4 rectangles de papier sulfurisé, ajouter les filets, saler, poivrer puis les tartiner de marinade à l'ail et à l'oignon. Fermer les papillotes hermétiquement.	4	Enfourner pour 15 minutes. Laisser reposer 5 minutes avant d'ouvrir.

PAVÉS DE JULIENNE ET AGRUMES

POUR 4 PERSONNES • PRÉPARATION : 20 MINUTES • CUISSON : 8 MINUTES

4 pavés de julienne (120 g chacun)
2 tomates
1 oignon
2 échalotes
1 pamplemousse rose

1 orange
4 feuilles d'estragon
12,5 cl de vin blanc sec
4 cuillères à café d'huile d'olive
Sel, poivre

AU PRÉALABLE :
Préchauffer le four à 210 °C (th. 7).

1	Peler et couper les tomates en rondelles. Éplucher et émincer l'oignon et les échalotes.	2	Peler le pamplemousse et l'orange à vif. Prélever les quartiers, enlever la membrane blanche et récupérer le jus.	
3	Découper 4 feuilles de papier d'aluminium spécial papillote et disposer au centre de chacune d'elles : 3 rondelles de tomate, un peu d'oignons et d'échalotes, une feuille d'estragon.	4	Déposer un morceau de julienne. Recouvrir d'agrumes.	➢

5	Relever les bords des papillotes, répartir le vin blanc et le jus d'agrumes réservé. Saler, poivrer et arroser d'une cuillère à café d'huile d'olive.	**ASTUCE** ☛ Pour ne pas que le jus des papillotes coule au cours de la cuisson, veiller à bien relever les bords de la papillote et à bien les serrer afin qu'ils ne s'affaissent pas ni ne s'ouvrent.

6	Refermer hermétiquement. Enfourner 8 minutes. Servir les papillotes entrouvertes.	**VARIANTE** Remplacer les pavés de julienne par un autre poisson blanc (cabillaud, lieu, perche, etc.).

LES DOUCEURS

5

LES GROS GÂTEAUX

MIGNARDISES

PETITS DESSERTS

GÂTEAU CHOCOLAT-NOISETTES

POUR 8 PERSONNES • PRÉPARATION : 10 MINUTES • CUISSON : 20 MINUTES

120 g de chocolat
20 g de noisettes en poudre
2 œufs
60 g de farine

1 sachet de levure
2 sachets de sucre vanillé
4 cuillères à café de beurre allégé à 41 %

AU PRÉALABLE :
Préchauffer le four à 180 °C (th. 6).

1	Faire fondre le chocolat au bain-marie.	2	Ajouter le beurre.	
3	Dans un bol, mélanger les noisettes en poudre avec la levure et la farine.	4	Dans une terrine, fouetter les œufs avec le sucre vanillé. Ajouter le chocolat fondu et le mélange noisettes-levure-farine.	➢

5	Répartir la pâte dans un moule antiadhésif de 24 cm de diamètre et mettre au four pendant 20 minutes.	**VARIANTE** Remplacer les noisettes par des noix. **ASTUCE EXPRESS** Faire fondre le chocolat au micro-ondes, 30 secondes (veiller à ce qu'il ne cuise pas). Bien mélanger.

6	Laisser refroidir un peu avant de démouler.

ACCOMPAGNEMENT

Servir avec une boule de glace à la vanille ou de la crème anglaise.

OPTION

Préparer ce gâteau en portions individuelles. Utiliser alors des moules à muffin ou bien à mini cake.

CHEESECAKE AUX POMMES

POUR 6 PERSONNES • PRÉPARATION : 15 MINUTES • CUISSON : 30 MINUTES

2 pommes
3 jaunes d'œufs
1 yaourt nature à 0 %
240 g de ricotta

4 cuillères à soupe de farine (80 g)
2 cuillères à soupe d'édulcorant de cuisson
1 sachet de sucre vanillé

AU PRÉALABLE :
Préchauffer le four à 210 °C (th. 7).

1 2
3 4

1	Mélanger les jaunes d'œufs avec la farine, ajouter le yaourt, la ricotta, l'édulcorant et le sucre vanillé.	2	Éplucher puis émincer les pommes.
3	Disposer les tranches de pommes au fond d'un moule rond de 20 cm de diamètre antiadhésif ou en silicone. Verser l'appareil sur les pommes.	4	Enfourner pour 30 minutes. Laisser refroidir avant de servir.

71

CLAFOUTIS POÊLÉ AUX CERISES

POUR 4 PERSONNES • PRÉPARATION : 5 MINUTES • CUISSON : 10 MINUTES

200 g de cerises
2 œufs
25 cl de lait écrémé
80 g de farine
2 cuillères à café de margarine
2 sachets de sucre vanillé
Édulcorant de cuisson (facultatif)

AU PRÉALABLE :
Laver et équeuter les cerises.

* Feuille de Téflon alimentaire qui permet de cuisiner sans ajouter de matière grasse.

1	Faire fondre la margarine dans une poêle antiadhésive. Y ajouter les cerises.	2	Les faire revenir quelques minutes.	
3	Mélanger la farine, les œufs, le lait et le sucre vanillé. Ajouter un peu d'édulcorant de cuisson pour une saveur plus sucrée (facultatif).	4	Verser sur les cerises. Laisser cuire 5 minutes.	➢

5	Retourner le clafoutis : déposer une feuille de cuisson* sur le dessus puis une assiette plate et retourner l'ensemble en un seul mouvement. Faire glisser le clafoutis dans la poêle et le faire cuire sur l'autre face pendant 5 minutes.	**ASTUCE** ☛ Hors saison, utiliser des cerises surgelées. Les faire décongeler dans une passoire avant utilisation.

6 Servir sur un plat de service, tiède ou froid.

CONSEIL

Accompagner de crème anglaise.

VERSION AU FOUR

Ce clafoutis est aussi très bon cuit au four. Garnir un plat à tarte de papier sulfurisé. Répartir les cerises dans le fond et couler l'appareil à clafoutis dessus. Cuire au four à 180 °C pendant 30 à 40 minutes.

FAR AUX FRUITS D'ÉTÉ

POUR 4 PERSONNES • PRÉPARATION : 15 MINUTES • CUISSON : 30 MINUTES • REPOS : 15 MINUTES

300 g de nectarines
200 g de grosses prunes rouges
2 œufs
10 cl de lait écrémé
1 cuillère à café de matière grasse à 40 %
60 g de farine de blé complète
7 cuillères à soupe d'édulcorant de cuisson en poudre
Sel

AU PRÉALABLE :
Préchauffer le four à 180 °C (th. 6).

1	Peler et dénoyauter les fruits, les couper en morceaux, les mettre à égoutter dans une passoire.	2	Tamiser la farine, une pincée de sel et 6 cuillères à soupe d'édulcorant. Verser les œufs, battre à la fourchette puis délayer peu à peu avec le lait.
3	Enduire de matière grasse un plat à gratin d'une contenance de 50 cl. Y étaler les fruits, recouvrir de la préparation aux œufs. Enfourner pour 30 minutes.	4	Laisser tiédir dans le four éteint une quinzaine de minutes puis saupoudrer d'une cuillère à soupe d'édulcorant. Réserver au frais avant de servir.

73

FLAN BRIOCHÉ AUX CERISES

POUR 4 PERSONNES • PRÉPARATION : 15 MINUTES • CUISSON : 13 MINUTES

200 g de griottes surgelées
4 tranches de pain de mie brioché
2 petits œufs
10 cl de lait écrémé

1 cuillère à café d'édulcorant liquide de cuisson
1 sachet de sucre vanillé
1 cuillère à soupe de sucre vergeoise

1	Mettre les griottes surgelées dans une cocotte en verre culinaire avec une tasse à café d'eau et l'édulcorant, couvrir et faire cuire 3 minutes.	2	Égoutter et réserver le jus.	
3	Filmer un plat allant au micro-ondes de 16 x 10 cm. Y déposer 2 tranches de pain de mie brioché côte à côte puis parsemer de griottes.	4	Fouetter les œufs avec le sucre vanillé, délayer avec le lait.	➢

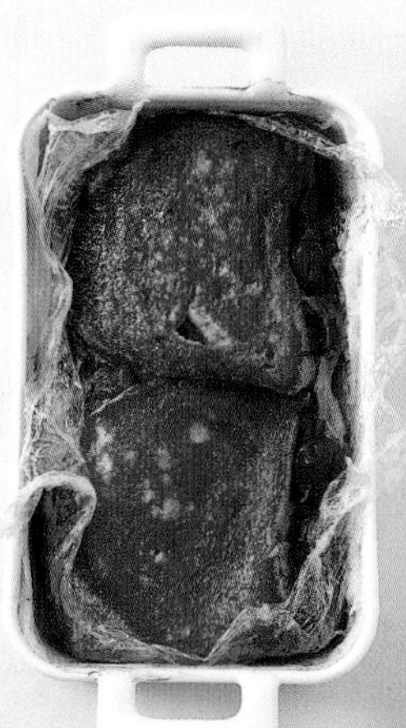

5	Verser la préparation sur les griottes.	6	Tremper brièvement les 2 tranches de pain de mie brioché restantes dans le jus de cuisson des griottes.
7	Les ajouter puis tasser l'ensemble.	8	Couvrir et cuire 3 minutes au four à micro-ondes à 800 W. Poursuivre la cuisson 7 minutes à 600 W.

9 Saupoudrer d'une cuillère à soupe de vergeoise. Laisser tiédir dans le plat et démouler. Servir froid.

ASTUCE

Diminuer la taille du plat en calant du papier sulfurisé entre le film alimentaire et les parois du plat.

COOKIES AU CŒUR FONDANT

POUR 3 COOKIES • PRÉPARATION : 5 MINUTES • CUISSON : 4 MINUTES

15 g de matière grasse à 40 %
1 œuf
60 g de chocolat
10 g de sucre
10 g de farine

AU PRÉALABLE :
Préchauffer le four à 240 °C (th. 8).

1	Mettre la matière grasse dans un plat adapté au four à micro-ondes. Casser le chocolat par-dessus et passer au four à micro-ondes pendant 40 secondes. Mélanger.	2	Battre l'œuf avec le sucre, ajouter le chocolat fondu, la farine et mélanger de nouveau.
3	Verser la préparation dans des petits moules.	4	Enfourner et faire cuire 4 minutes.

75

MADELEINES AU CHOCOLAT

⊱ **POUR 14 MADELEINES** • PRÉPARATION : 10 MINUTES • CUISSON : 8 MINUTES ⊰

60 g de margarine végétale
2 œufs entiers
30 g de sucre

60 g de farine tamisée
1 cuillère à café de levure chimique
2 cuillères à café de cacao non sucré

AU PRÉALABLE :
Préchauffer le four à 180 °C (th. 6).
Faire fondre légèrement la margarine.

1 2

3 4

1	Battre les œufs avec le sucre jusqu'à ce que le mélange devienne mousseux.	2	Ajouter, tout en remuant, la farine tamisée, la levure puis la margarine à peine fondue et le cacao.
3	Remplir des moules à madeleines antiadhésifs.	4	Mettre au four bien chaud pour 8 minutes et surveiller régulièrement la cuisson.

PETITS POTS POMMES-CERISES

POUR 8 PETITS GÂTEAUX • PRÉPARATION : 15 MINUTES • CUISSON : 25 MINUTES

1 belle pomme
200 g de cerises au sirop léger (dénoyautées)
2 jaunes d'œufs
1 cuillère à soupe de jus de citron

200 g de fromage blanc à 0 %
2 cuillères à soupe d'édulcorant de cuisson
3 cuillères à soupe de fécule de pomme de terre
2 cuillères à soupe de sucre vanillé

AU PRÉALABLE :
Préchauffer le four à 180 °C (th. 6).

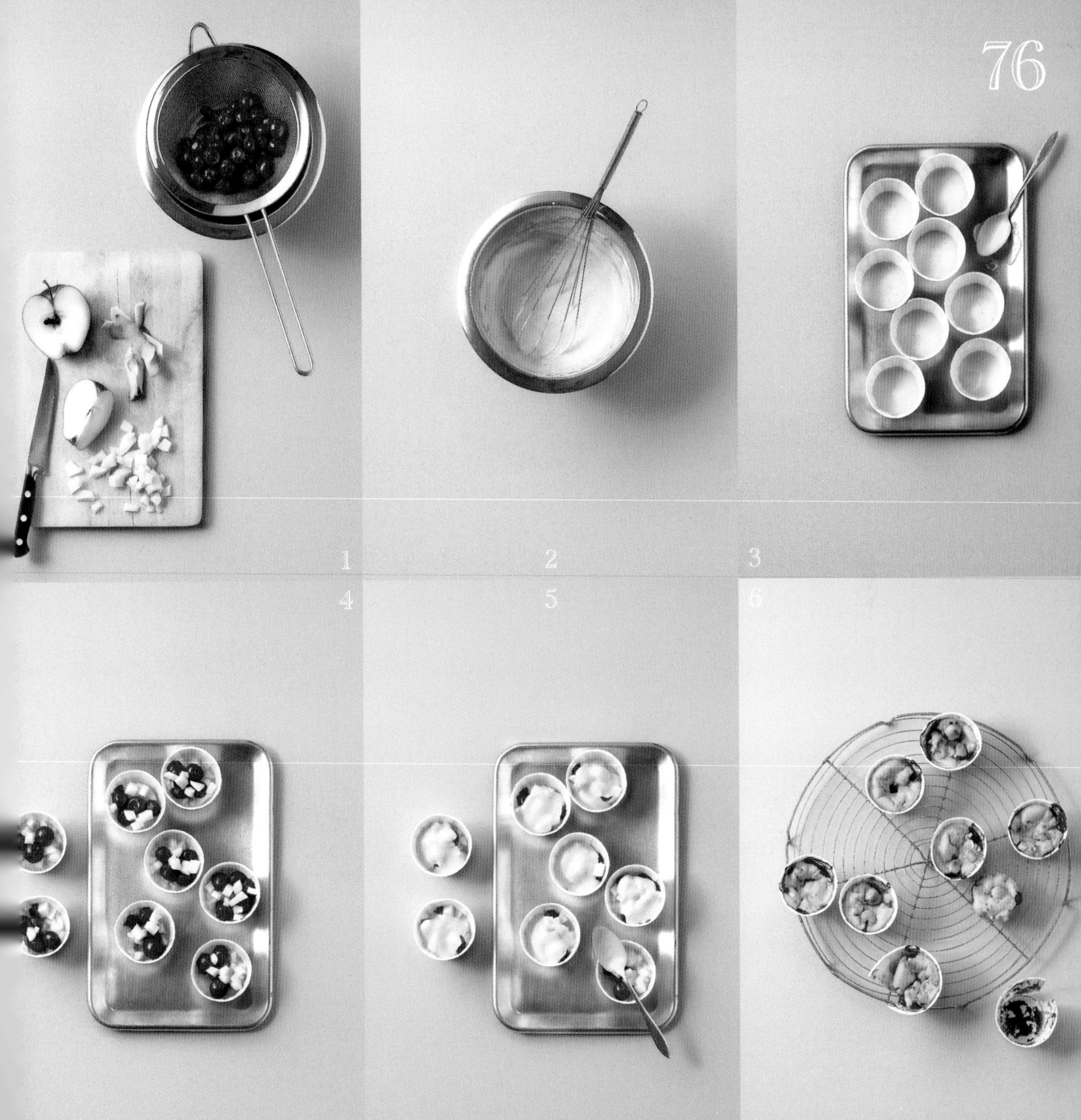

1	Peler la pomme et l'émincer en tout petits morceaux. Égoutter les cerises et les sécher.	2	Mélanger le fromage blanc, les jaunes d'œufs, l'édulcorant, la fécule, le sucre vanillé et le citron.	3	Déposer 1 cuillère à café de cette préparation dans 8 petits moules antiadhésifs.
4	Répartir les morceaux de pomme et les cerises.	5	Recouvrir avec le reste de préparation. Enfourner pour 25 minutes.	6	Attendre quelques minutes avant de démouler.

MUFFINS CHOCO-BANANE

POUR 8 MUFFINS • PRÉPARATION : 20 MINUTES • CUISSON : 15 MINUTES

2 bananes bien mûres
2 œufs
10 cl de lait écrémé
5 c. à soupe de farine
1 c. à soupe de fécule de pomme de terre
¼ de sachet de levure
1 c. à café de vanille en poudre
2 c. à soupe de cacao non sucré
4 c. à soupe d'édulcorant en poudre
25 g de pépites de chocolat

AU PRÉALABLE :
Préchauffer le four à 180 °C (th. 6).
Tamiser la farine, la fécule, la levure, la vanille, le cacao et l'édulcorant.

1	Peler les bananes, les écraser à la fourchette.	2	Verser les ingrédients tamisés dans un petit saladier. Faire un puits, ajouter les œufs et les bananes écrasées puis fouetter en versant peu à peu le lait et bien mélanger.
3	Répartir la préparation dans 8 petits moules à muffin en silicone remplis aux deux tiers. Y répartir les pépites de chocolat.	4	Enfourner pour 15 minutes (vérifier la cuisson avec la lame d'un couteau). À la sortie du four, laisser tiédir puis démouler.

PANCAKE AU CHOCOLAT

POUR 6 PANCAKES • PRÉPARATION : 10 MINUTES • CUISSON : 12 MINUTES • REPOS : 15 MINUTES

1 œuf
3 cuillères à café de margarine
1 yaourt à la myrtille à 0 %
1 cuillère à soupe de sucre en poudre
1 sachet de sucre vanillé
1 cuillère à soupe de cacao non sucré (15 g)
1 cuillère à soupe de farine
1 cuillère à soupe de Maïzena

1 2
3 4

1	Dans un récipient, mélanger l'œuf avec 1 sachet de sucre vanillé, le cacao, la farine et la Maïzena. Diluer avec le yaourt, bien mélanger. Laisser reposer 15 minutes.	2	Faire chauffer une noisette de margarine dans une poêle à blinis antiadhésive de 12 cm de diamètre. Verser 3 cuillères à soupe de pâte, bien la répartir.
3	Faire cuire à feu moyen pendant 1 minute, retourner le pancake avec une large spatule et laisser cuire de nouveau 1 minute.	4	Réaliser ainsi 6 pancakes. Les saupoudrer au fur et à mesure avec une pincée de sucre en poudre.

PANNA COTTA AUX MYRTILLES

POUR 4 PERSONNES • PRÉPARATION : 15 MINUTES • RÉFRIGÉRATION : 4 HEURES

250 g de myrtilles (ou autres fruits rouges de saison : mûres, framboises, fraises…)
3 yaourts brassés nature au lait entier de 125 g
10 cl de lait demi-écrémé
1 cuillère à café de jus de citron
4 feuilles de gélatine
5 cuillères à soupe d'édulcorant en poudre

AU PRÉALABLE :
Faire ramollir les feuilles de gélatine dans un récipient d'eau froide puis les essorer.

1 2

3

1	Faire chauffer le lait dans une petite casserole. Hors du feu, y diluer la gélatine. Fouetter les yaourts, les ajouter au lait avec 3 cuillères à soupe d'édulcorant. Bien mélanger.	2	Verser la préparation dans un plat rectangulaire sur une hauteur de 2 à 3 cm d'épaisseur et réserver au réfrigérateur pendant 4 heures.
3	Au moment de servir, préparer le coulis : mixer les myrtilles avec le jus de citron, filtrer puis incorporer 2 cuillères à soupe d'édulcorant.	4	Démouler la panna cotta sur un plat, la couper en parts égales et napper de coulis de myrtilles.

SAMOSSAS DE POMMES ÉPICÉS

POUR 8 SAMOSSAS • PRÉPARATION : 20 MINUTES • CUISSON : 10 MINUTES

2 pommes
4 feuilles de brick
2 cuillères à soupe de jus de citron
8 cuillères à soupe de crème épaisse à 4 %
2 cuillères à café de margarine à 60 %

2 cuillères à soupe d'édulcorant en poudre
1 sachet de sucre vanillé
¼ de cuillère à café d'anis vert en poudre
¼ de cuillère à café de cannelle en poudre

AU PRÉALABLE :
Préchauffer le four à 200 °C (th. 6-7).

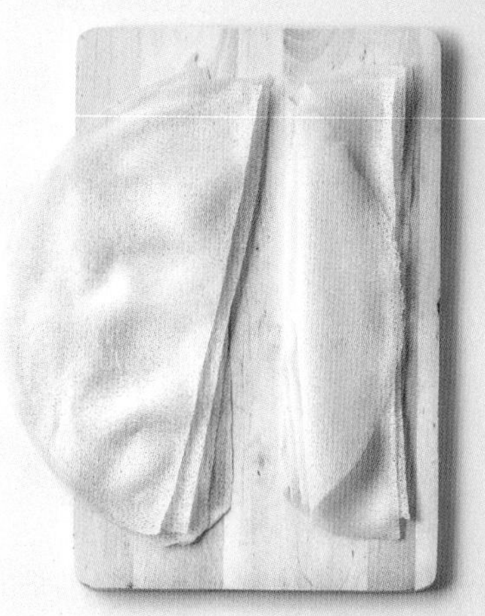

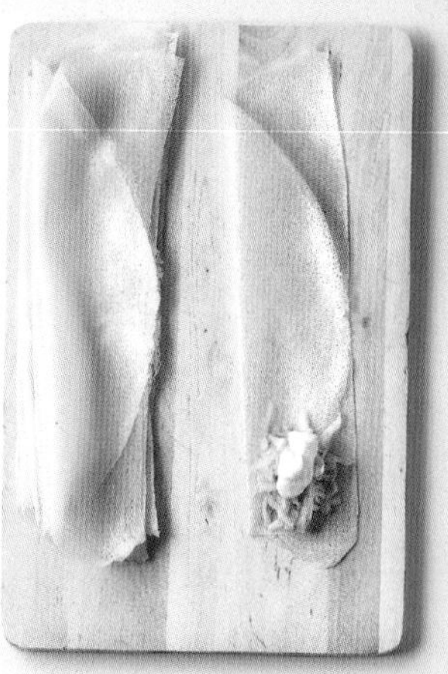

1	Peler les pommes, les râper avec une grille à gros trous.	2	Mélanger les pommes avec le jus de citron, l'édulcorant, le sucre vanillé et les épices.	
3	Couper les feuilles de brick en deux puis rabattre le bord arrondi des demi-feuilles sur le bord découpé.	4	Déposer 1 cuillerée à café de râpé à l'extrémité de la bande de pâte. Napper d'une cuillerée à café de crème.	➢

		CONSERVATION
5	Rabattre un des coins de l'extrémité sur la farce pour former un triangle, puis rabattre le triangle autant de fois que nécessaire. Rentrer l'extrémité de la feuille de brick pour maintenir le triangle fermé.	Les samossas sont bons quand ils sont bien croustillants. Une fois cuits, il est donc préférable de les déguster rapidement.

		VARIANTE
6	À l'aide d'un pinceau, badigeonner les samossas de margarine fondue. Les disposer sur une plaque antiadhésive et enfourner pour 10 minutes jusqu'à ce qu'ils soient bien dorés. Servir chaud ou tiède.	Préparer ces samossas en remplaçant 1 pomme par un autre fruit : poire, pêche, etc.

MOUSSE MOKA

⊱ **POUR 4 PERSONNES** • PRÉPARATION : 20 MINUTES • CUISSON : 5 MINUTES • REPOS : 3 HEURES ⊰

3 œufs extra-frais
100 g de chocolat noir corsé
1 cuillère à café de café soluble
1 pincée de sel

AU PRÉALABLE :
Séparer les jaunes des blancs d'œufs.

1

3

1	Casser le chocolat en morceaux. Les mettre dans une terrine avec le café soluble délayé dans 1 cuillère à soupe d'eau. Faire fondre le tout au bain-marie ou au micro-ondes.	2	Ajouter les jaunes d'œufs au chocolat tiédi en remuant vivement.
3	Monter les blancs d'œufs en neige ferme avec une pincée de sel. Les incorporer délicatement à la préparation précédente.	4	Répartir cette mousse dans des verres. Réserver 3 heures minimum au réfrigérateur avant de servir.

LA TARTE TOUT CHOCOLAT

POUR 4 PERSONNES • PRÉPARATION : 10 MINUTES • CUISSON : 15 MINUTES • REPOS : 1 HEURE

50 g de farine
10 g de cacao non sucré
150 g de fromage blanc à 0 %
100 g de crème fraîche à 5 %
1 cuillère à soupe de sucre roux
1 sachet de gélatine en poudre
2 cuillères à café de cacao
10 g de sucre
20 g de margarine allégée à 60 %

AU PRÉALABLE :
Préchauffer le four à 230 °C (th. 7-8). Délayer la gélatine comme indiqué sur le sachet, ajouter 10 cl d'eau.

1 2

3 4

1	Dans un récipient, déposer la farine, 10 g de cacao non sucré, le sucre roux, la margarine et 2 cuillères à soupe d'eau.	2	Bien mélanger à l'aide d'une fourchette. Faire une boule.	
3	Étendre la pâte sur une feuille de cuisson ronde de 24 cm de diamètre.	4	La poser dans le moule à tarte, former les bords.	➢

5 6

7 8

5	Recouvrir d'une autre feuille de papier sulfurisé. Faire cuire à blanc 15 minutes au four.	6	Dans un bol, mélanger le fromage blanc, la crème fraîche, le cacao et le sucre.
7	Incorporer la gélatine.	8	Lorsque le fond de tarte est refroidi, verser la préparation au chocolat et réserver au frais pendant 1 heure.

9	Saupoudrer légèrement de cacao en poudre juste avant de servir.	**ASTUCE** Pour éviter que le bord de la tarte ne s'affaisse lors de la cuisson, placer le moule garni de la pâte 30 minutes au réfrigérateur avant de la cuire à blanc.

PAPILLOTES BANANES-POIRES

POUR 2 PERSONNES • PRÉPARATION : 5 MINUTES • CUISSON : 10 MINUTES

2 bananes
2 poires
2 carrés de chocolat noir (20 g)
2 cuillères à café de crème fraîche à 8 %

AU PRÉALABLE :
Préchauffer le four à 180 °C (th. 6).

1 2

3 4

1	Peler les fruits. Les couper en morceaux.	2	Disposer les fruits dans deux carrés de papier sulfurisé.
3	Râper le chocolat et le répartir sur les fruits. Refermer chaque papillote. Enfourner 10 minutes.	4	Au moment de servir, ajouter la crème fraîche dans chaque papillote chaude. Servir aussitôt.

BÛCHETTES CHOCO-AMANDES

POUR 8 PERSONNES • PRÉPARATION : 15 MINUTES • CUISSON : 4 MINUTES • REPOS : 1 HEURE

125 g de chocolat noir
60 g de poudre d'amandes
1 sachet de sucre vanillé

4 feuilles de brick
2 cuillères à soupe de crème fraîche à 5 %
Quelques feuilles de menthe (facultatif)

AU PRÉALABLE :
Laver la menthe puis la sécher sur du papier absorbant.
* Feuille de Téflon alimentaire qui permet de cuisiner sans ajouter de matière grasse.

1 2
3 4

1	Faire fondre le chocolat dans une jatte au bain-marie sans remuer.	2	Retirer du feu et ajouter la crème fraîche. Mélanger avec une cuillère en bois afin d'obtenir une pâte bien lisse.	
3	Ajouter la poudre d'amandes	4	Ajouter le sucre vanillé. Laisser durcir légèrement au frais pendant 1 heure.	➢

5 6
7

5	Préchauffer le four à 210 °C (th. 7). Couper chaque feuille de brick en deux puis chaque morceau encore en quatre. On obtient 32 triangles.	6	Poser dans chaque triangle la valeur de ½ cuillère à café de pâte au chocolat (avec ¼ de feuille de menthe, ou plus selon ses goûts).
7	Rouler le triangle sur lui-même en partant de la pointe de manière à former une bûchette.	8	Recommencer jusqu'à épuisement des ingrédients. Disposer les petites bûches dans un plat à four recouvert d'une feuille de cuisson*.

9	Enfourner pour 2 minutes le temps de faire dorer légèrement la feuille de brick. Réserver au frais.	**IDÉE DE PRÉSENTATION** Présenter 4 bûchettes par personne sur un lit de feuilles de menthe.

85

POMME FRUIT VAPEUR

POUR 1 PERSONNE • PRÉPARATION : 5 MINUTES • CUISSON : 2 MINUTES 30

1 pomme de 200 g
1 petit-suisse à 0 %
1 cuillère à café de miel

CONSEIL :
Choisir une pomme naturellement sucrée qui se cuit bien : jonagold, gala, golden…

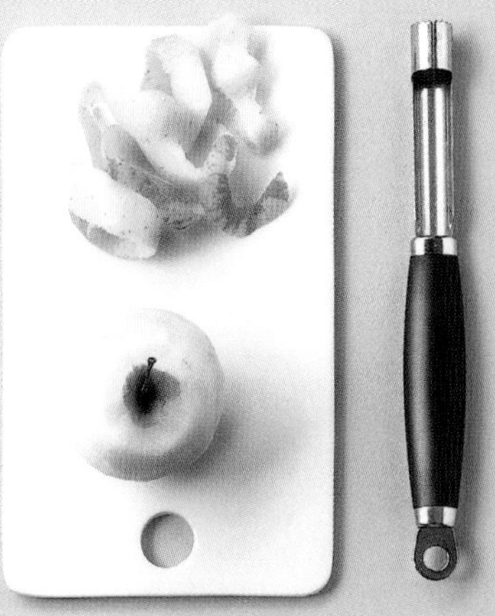

1 2
3 4

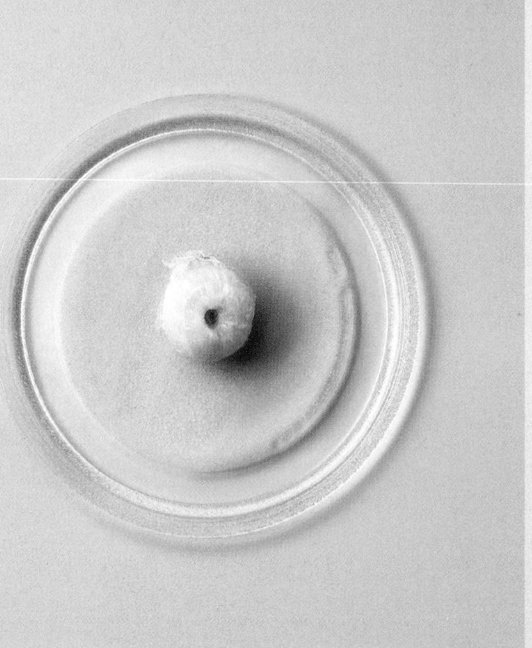

1	Peler la pomme et à l'aide d'un vide-pomme enlever le trognon.	2	L'envelopper dans un film alimentaire : bien serrer autour de la pomme, fermer en papillote.
3	La mettre sur le plateau en verre du micro-ondes et faire cuire 2 minutes et 30 secondes (800 W). Veiller à adapter le temps de cuisson en fonction du poids, du nombre de pommes ou de la puissance de l'appareil.	4	Laisser tiédir et enlever le film alimentaire. Mettre la pomme dans une coupelle, la couper en deux, ajouter le petit-suisse égoutté au centre et napper de miel. Servir avec une petite cuillère.

PAPILLOTES PÊCHE-VERVEINE

POUR 4 PERSONNES • PRÉPARATION : 15 MINUTES • CUISSON : 10 MINUTES

6 pêches jaunes
150 g de groseilles
4 cuillères à soupe de crème fraîche à 5 %
4 petits bouquets de verveine
4 cuillères à café de vergeoise

AU PRÉALABLE :
Préchauffer le four à 180 °C (th. 6).

1 2
3 4

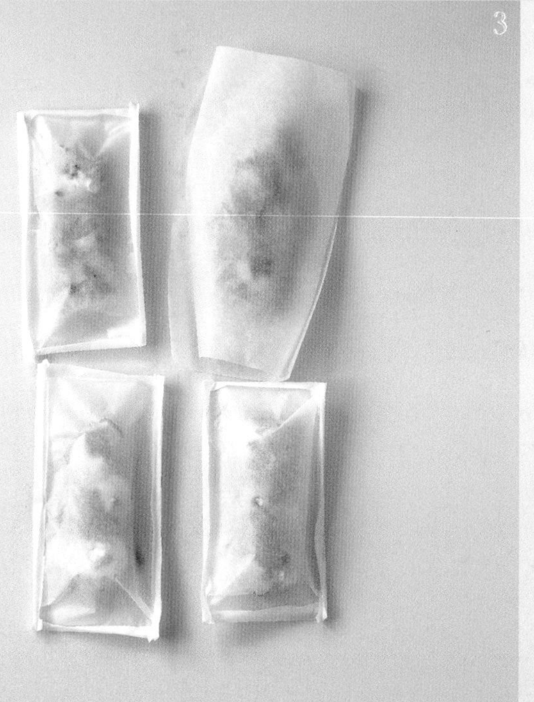

1	Peler les pêches, les couper en deux et enlever les noyaux. Égrener les groseilles.	2	Disposer 3 oreillons sur une feuille de papier sulfurisé de 25 cm de long. Saupoudrer de vergeoise et arroser de crème. Répartir les groseilles, recouvrir d'un bouquet de verveine.
3	Poser une autre feuille de papier sulfurisé par-dessus. Replier tous les côtés et fermer hermétiquement. Réaliser 3 autres papillotes.	4	Enfourner les papillotes pour 10 minutes. Laisser tiédir un peu et découper le dessus avec des ciseaux avant de servir.

CAPPUCCINO DE FRUITS ROUGES

POUR 4 PERSONNES • PRÉPARATION : 15 MINUTES • CUISSON : 10 MINUTES • REPOS : 1 HEURE

500 g de cocktail de fruits rouges surgelés (framboises, groseilles, myrtilles, mûres, cassis)
Le jus de ½ citron

1 goutte de vanille liquide
1 cuillère à café d'édulcorant en poudre
2 cuillères à café d'édulcorant liquide de cuisson

1 petit blanc d'œuf
250 g de fromage blanc à 20 %

1 2

3 4

1	Dans une casserole, mettre les fruits surgelés, le jus de citron, l'édulcorant de cuisson et 10 cl d'eau. Laisser cuire 10 minutes en écrasant les fruits de temps en temps. Laisser tiédir.	2	Mixer les fruits. Filtrer la purée de fruits à travers une passoire fine. Répartir dans 4 verres hauts jusqu'aux trois quarts, puis réserver au frais pendant 1 heure.
3	Monter le blanc d'œuf en neige avec l'édulcorant restant. Fouetter le fromage blanc avec la vanille puis incorporer le blanc en neige.	4	Recouvrir chaque verre d'un dôme de mousse au fromage blanc. Servir aussitôt avec une cuillère.

ANNEXES

GLOSSAIRE

LES IDÉES MENUS

TABLE DES MATIÈRES

INDEX DES RECETTES

INDEX THÉMATIQUE

GLOSSAIRE

BAIN-MARIE
Technique de cuisson qui permet de cuire doucement certaines préparations délicates. Poser un plat résistant à la chaleur sur une casserole d'eau sur feu doux (le récipient ne doit pas toucher l'eau). Le bain-marie peut également se faire au four : placer le plat de cuisson dans un plat plus grand, rempli d'eau aux deux tiers.

BLANC EN NEIGE
Blancs d'œufs battus vivement à l'aide d'un fouet. Veiller à ce qu'il n'y ait aucune trace de jaune d'œuf ni de graisse dans le bol utilisé. Fouetter jusqu'à obtenir des blancs bien fermes : retourner le bol, les blancs ne doivent pas bouger !

BOUILLON
À défaut de bouillon maison, utiliser des cubes de bouillon, de préférence biologiques.

CUISSON À BLANC
Elle permet de précuire un fond de tarte avant de le garnir. Recouvrir le fond de tarte de papier sulfurisé et de légumes secs avant d'enfourner afin que la pâte ne gonfle pas.

CUISSON À LA VAPEUR
Mode de cuisson qui permet de cuire les aliments grâce à la vapeur produite par un liquide bouillant, eau ou bouillon en général. Il existe des paniers et des cuits-vapeur de toutes sortes. N'ajouter le panier contenant les aliments que lorsque le liquide bout.

DÉGORGER
Cette action consiste à éliminer toute l'eau de végétation de certains légumes (concombre, aubergine, tomate) en les saupoudrant de sel et en les laissant s'égoutter dans une passoire pendant une trentaine de minutes.

ÉDULCORANT
C'est un produit destiné à améliorer le goût d'un aliment en lui conférant une saveur sucrée, tout en ayant une valeur nutritive faible ou nulle. Il permet ainsi de remplacer les sucres (saccharose, glucose, fructose…) à pouvoir énergétique élevé.

ÉMINCER
Hacher finement des légumes, des herbes, etc. Utiliser une planche à découper et un couteau bien aiguisé.

ÉMONDER
Il s'agit d'enlever la peau de fruits ou de légumes, parfois non comestible. Pour ôter la peau des tomates, les ébouillanter quelques secondes afin qu'elle se détache facilement.

ÉPÉPINER
Ôter les pépins de fruits ou de légumes.

FAIRE REVENIR
Laisser dorer des morceaux de légumes ou de viande dans une matière grasse sur feu modéré à vif pendant quelques minutes.

FEUILLES DE BRICK
Ce sont des feuilles très fines, à base de farine de blé, indispensables pour les célèbres samosas. Elles peuvent s'utiliser pour des plats salés ou sucrés et peuvent être cuites à la poêle, au four…

FEUILLE DE TÉFLON
Feuille de Téflon alimentaire qui permet de cuisiner sans ajouter de matière grasse.

FROMAGE FONDU ALLÉGÉ
Il s'agit ici de portion de fromage fondu, type Svelt-esse, peu calorique et qui apporte une consistance intéressante, notamment pour les soupes.

FRUITS SURGELÉS

Pratiques, ils permettent de réaliser toutes sortes de recettes même hors saison ! Veiller à les faire décongeler dans une passoire avant utilisation.

GÉLATINE

Faire ramollir les feuilles de gélatine dans de l'eau froide avant utilisation. Elle peut être remplacée par de l'agar-agar, un gélifiant végétal à base d'algues.

HERBES FRAÎCHES

Persil plat, basilic, ciboulette, coriandre... il ne faut pas s'en priver ! Veiller à ce que les feuilles ne soient pas abîmées ni flétries. Les conserver dans le bas du réfrigérateur, dans un papier absorbant humide.

JULIENNE (COUPER EN)

Couper les légumes en lanières, plus ou moins fines. Utiliser un couteau bien aiguisé ou une mandoline pour plus de facilité.

MARINADE

Préparation liquide à base de citron, d'alcool ou de lait et agrémentée d'aromates. Elle est utilisée pour parfumer et attendrir viandes et poissons.

MATIÈRES GRASSES

Les matières grasses sont indispensables à l'organisme. Il ne faut pas les supprimer, mais favoriser les graisses végétales (huile, margarine), et limiter leur consommation.

PAPILLOTE

Une papillote est un mets cuit au four ou à la vapeur et servi dans une enveloppe de papier sulfurisé ou de papier d'aluminium. C'est un mode de cuisson simple et diététique qui permet de conserver toutes les vertus nutritionnelles des aliments.

PARMESAN

C'est le fromage italien par excellence ! L'acheter à la coupe et surtout pas en sachet, déjà râpé. Il se conserve longtemps au réfrigérateur.

TAMISER

Filtrer un ingrédient en poudre type farine, cacao, sucre glace afin de le rendre le plus fin possible et d'éliminer les éventuels grumeaux. Utiliser un tamis ou une passoire à maille fine.

ZESTE

Le zeste se prélève sur la peau des agrumes à l'aide du côté fin d'une râpe classique ou d'une râpe spéciale. Il permet de parfumer de nombreux plats et pâtisseries.

LES IDÉES MENUS POUR LA SEMAINE

SOIRÉE FILLES

À L'IMPROVISTE

ENTRE AMIS

DINER EN AMOUREUX

AVEC LES ENFANTS

DÉJEUNER EN FAMILLE

TABLE DES MATIÈRES

Vapeur

4

Les poissons

Express

Rôtis

Papillotes

5

Les douceurs

Gros gâteaux

Mignardises

Petits desserts

INDEX DES RECETTES

INDEX THÉMATIQUE

SHOPPING

THE CONRAN SHOP
117, rue du bac 75007 Paris

HABITAT
www.habitat.net

MONOPRIX
www.monoprix.fr

WEIGHT WATCHERS S'ADAPTE À VOTRE VIE ET À VOS ENVIES !

Et vous propose une gamme de services destinés à vous accompagner au plus près de votre démarche d'amaigrissement.

LES RÉUNIONS
Un programme d'amaigrissement sain et efficace et des réunions hebdomadaires motivantes.

L'ENTRETIEN INDIVIDUEL
Une conseillère exclusivement à votre écoute chaque semaine.

CHEZ VOUS
Toute l'efficacité du programme d'amaigrissement à domicile, pour être toujours plus proche de vous.

***WEIGHT WATCHERS* EN ENTREPRISE**
Weight Watchers vient à vous et peut organiser des réunions au sein des entreprises.

***WEIGHT WATCHERS* ON-LINE**
Des outils interactifs pour suivre le programme d'amaigrissement sur internet, au quotidien.

Appelez le n° Cristal 0 969 321 221 (appel non surtaxé)
Ou consultez notre site internet : **WeightWatchers.fr**

Stylisme : Natacha Arnoult
Mise en page : emigreen.com
Suivi d'édition : Audrey Génin
Relecture : Véronique Dussidour

Dépôt légal : septembre 2010
ISBN : 978-2-501-06788-1
4062238-02
Imprimé en Espagne par Graficas Estella